Le Fleuve

Du même auteur

Écrivains chéris, Libre Expression, 2008.
Une autre île d'Orléans, Libre Expression, 2006.
Mon beau Far West, Libre Expression, 2005.
Les Nouvelles Escapades de Jean O'Neil, Libre Expression, 2004.
Entre Jean, correspondance 1993-2000 avec Jean-Paul Desbiens, Libre Expression, 2001.
Le Roman de Renart, Libre Expression, 2000.
Le Livre des Prophètes, Libre Expression, 2000.
Les Escapades de Jean O'Neil, Libre Expression, 2000.
Hivers, Libre Expression, 1999.
Les Montérégiennes, Libre Expression, 1999.
Chère chair, Libre Expression, 1998.
Les Terres Rompues, Libre Expression, 1997.
Stornoway, Libre Expression, 1996, collection « 10/10 », 2009.
Ladicte coste du nort, Libre Expression, 1996.
Le Fleuve, Libre Expression, 1995, collection « 10/10 », 2009.
Bonjour, Charles !, Libre Expression, 1994.
Géographie d'amours, Libre Expression, 1993.
Lise et les trois Jacques, Libre Expression, 1992.
L'Île aux Grues, Libre Expression, 1991, collection « 10/10 », 2008.
Gabzou, Libre Expression, 1990.
Promenades et Tombeaux, Libre Expression, 1989, et 1996 en édition illustrée.
Oka, Éditions du Ginkgo, 1987.
Montréal by Foot, Éditions du Ginkgo, 1983 et Libre Expression, 2005.
Giriki et le prince de Quécan, Libre Expression, 1982.
Cap-aux-Oies, Libre Expression, 1980, et 1991 en édition illustrée.
Les Hirondelles, Éditions Hurtubise HMH, 1973 ; Libre Expression, 1995.
Je voulais te parler de Jeremiah, d'Ozélina et de tous les autres..., Éditions Hurtubise HMH, 1967 ; Libre Expression, 1994.

(suite en fin de volume)

Jean O'Neil

Le Fleuve

Récit

Catalogage avant publication de Bibliothèque et Archives nationales du Québec et Bibliothèque et Archives Canada

O'Neil, Jean
Le fleuve
(10/10)
Éd. originale: Montréal : Libre expression, 1995.
ISBN 978-2-923662-29-9
1. Saint-Laurent, Fleuve - Romans, nouvelles, etc. I. Titre. II. Collection: Québec 10/10.
PS8529.N3F53 2009 C848'.5403 C2009-941140-7
PS9529.N3F53 2009

Direction de la collection : Romy Snauwaert
Logo de la collection : Chantal Boyer
Maquette de la couverture et grille intérieure : Tania Jiménez et Omeech
Mise en pages : Louise Durocher
Couverture : Chantal Boyer

Remerciements
Les Éditions Libre Expression reconnaissent l'aide financière du gouvernement du Canada par l'entremise du Programme d'aide au développement de l'industrie de l'édition (PADIÉ) pour ses activités d'édition. Nous remercions le Conseil des Arts du Canada et la Société de développement des entreprises culturelles du Québec (SODEC) du soutien accordé à notre programme de publication. Gouvernement du Québec – Programme de crédit d'impôt pour l'édition de livres – gestion SODEC.

Les Éditions Libre Expression
Groupe Librex inc.
Une compagnie de Quebecor Media
La Tourelle
1055, boul. René-Lévesque Est
Bureau 800
Montréal (Québec) H2L 4S5
Tél. : 514 849-5259
Téléc. : 514 849-1388
www.groupelibrex.com

Dépôt légal – Bibliothèque et Archives nationales du Québec et Bibliothèque et Archives Canada, 2009

ISBN : 978-2-923662-29-9

Distribution au Canada
Messageries ADP
2315, rue de la Province
Longueuil (Québec) J4G 1G4
Tél. : 450 640-1234
Sans frais : 1 800 771-3022
www.messageries-adp.com

Diffusion hors Canada
Interforum
Immeuble Paryseine
3, allée de la Seine
F-98854 Ivry-sur-Seine Cedex
Tél. : 33(0)1 49 59 10 10
www.interforum.fr

À Thomas, Marie-Ève et Jacques.

À Bedřich Smetana,
cette Vltava *de ma patrie.*

Présence

Il est là au milieu de nous, au milieu de notre vie, mais nous le voyons rarement, du moins à Montréal. Il est là comme le cœur au milieu de la poitrine, et le cœur, nous savons bien qu'il est là car il bat et il pompe sans arrêt, mais personne n'a jamais vu son cœur autrement que par des manigances électroniques et médicales.

Le fleuve ne pompe pas, mais il coule et il bat. Il bat la mesure des inondations saisonnières que lui imposent le soleil d'avril et les pluies d'automne, comme il bat la mesure des marées journalières que lui impose la Lune.

Il bat la mesure des brumes de la canicule et des vapeurs blanches qui dansent sur les glaces bleues de février.

Et pendant tout ce temps il coule devant nous, entre nous. Il coule devant notre indifférence et à travers nos urgences. Il vient de bien plus loin que notre vie, car celle-ci se mesure en années alors que la sienne se mesure en millénaires et il compte infiniment plus de millénaires que nous n'avons d'années.

Il coule, il passe. Il passe depuis si longtemps qu'il ne passe jamais tellement il reste là, mais il passe toujours devant les philosophes Parménide et Zénon d'Élée, qui s'affligeaient déjà de cette énigme il y a deux mille six cents ans.

Il passe depuis si longtemps que nous ne le regardons plus.

Surtout de Valleyfield à l'île d'Orléans, où nous avons construit des ponts pour sauter par-dessus. Cela ne l'empêche pas de couler dessous, mais cela nous empêche de le voir car nous sommes toujours très pressés d'arriver à l'endroit où nous devrons attendre.

En plus des ponts, nous avons construit des autoroutes de part et d'autre du fleuve, mais pas au bord, de peur de déranger les vieux villageois qui le regardent encore par leur fenêtre ou d'écraser les enfants qui traverseraient en courant entre les maisons et le quai.

Cela fait que nous ne le voyons presque jamais avant d'arriver en bas de Québec.

Pourtant, il est beau bien avant Québec, avec ses lacs Saint-François, Saint-Louis et Saint-Pierre ; avec ses cascades de Coteau-du-Lac et des Cèdres ; avec ses rapides de Lachine, ses îles de Boucherville et de Sorel.

Sauf qu'à Québec il devient pas mal plus visible, car il fait barrière entre gens d'un même pays mais de deux rives. Alors, c'est le bateau ou l'avion, et, veux, veux pas, on le voit très bien car c'est un peu lui qui décide si ça lève et si ça passe.

Non, vraiment, d'ici on ne le voit presque pas, sauf quand revient le printemps et que s'annoncent les vacances. Aussitôt, des cartes postales se mettent à voltiger comme des papillons entre nos deux oreilles. Le phare de Cap-des-Rosiers pour Chantal ; les chevreuils d'Anticosti pour Georges ; l'archipel de Mingan pour Sylvie ; la station piscicole de L'Anse-Pleureuse pour Michel ; le rocher de Cap-Chat pour Jean-Eudes ; le traversier de Trois-Pistoles pour Ginette ; la Maison de la Mer à Grandes-Bergeronnes pour André ; la chapelle de Tadoussac pour ma tante Gertrude ; le phare de l'île Verte pour Léandre et celui des îles du Pot à l'Eau-de-Vie – Brandy Pot pour les intimes – pour François ; le verger du Platin à Rivière-du-Loup pour Jean-Louis ; les belles maisons de La Malbaie pour Carole ; les pêches de Kamouraska pour Jojo ; la pointe de l'île aux Coudres pour François encore ; Petite-Rivière pour la « Petite Poule d'eau » ; Saint-Roch-des-Aulnaies pour Brigitte ; le quai de Saint-Jean-Port-Joli pour le même François ; l'île d'Orléans pour Bernard ; Québec pour le président de l'Unesco ; Sainte-Croix de Lotbinière pour Thérèse et pour la cousine Cocotte ; Grondines pour Dominique ; Saint-Pierre-les-Becquets pour Lucie ; les îles de Sorel pour Patricia ; Saint-Sulpice pour Pierre ; Montréal pour les Américains de passage ; toutes les cartes du fleuve et de l'été pour Hélène, Louis et Rosinet du square Saint-Louis, et une trompe de brume qui hurle à fendre la purée, pour François toujours.

Au-delà des cartes postales, il y a la bicyclette, l'automobile ou l'embarcation, ou les trois à la fois, la vareuse ou le chic coupe-vent, les bottes de caoutchouc ou les souliers en cuir d'Italie, le jean costaud ou le pantalon de soie grège, le pull-over ou le cardigan, les jumelles, les verres fumés, la canne à pêche, les livres d'été, la casquette ou le fichu, les enfants ou les parents.

Et, au-delà de tout ce fourbi, il y a le départ.

Le départ pour le sable et pour l'eau, pour les rives et le large, pour les caps et les îles, pour l'étale et la marée, pour le beau temps et la tempête, pour l'hôtel et le casse-croûte, pour le beau-frère ou la belle-sœur de Rimouski, de Saint-Siméon, de Rivière-au-Tonnerre ou de Manche-d'Épée.

Et pourquoi ne pas se rendre jusqu'à Percé si on a le temps ?

Le Saint-Laurent a le temps, lui. Pas toujours beau temps, pas toujours mauvais temps, mais toujours le temps.

La une de *La Presse* de ce matin nous dit que cinquante-deux pour cent des Québécois prendront leurs vacances au Québec cet été. Quatre pages plus loin, Foglia, lui, prétend que c'est « un pays de cul », à cause du temps, bien sûr.

Tout le monde a raison, évidemment, et le Saint-Laurent plus que quiconque, car, depuis les six derniers millénaires, il a eu le temps de voir arriver et passer beaucoup de monde : des Amérindiens, des Basques, des Portugais, des Français, des Anglais, des Irlandais, des Écossais, des Juifs, des Chinois, des Italiens, des Polonais, des Hongrois, des Coréens, des Chiliens, des Haïtiens, des Sri Lankais, des Bosniaques et des Ruandais.

Quand on songe que ces millions de gens sont venus s'établir dans un « pays de cul » au bord d'un des grands déversoirs de l'Amérique septentrionale, on frémit à l'idée du pays qu'ils ont décidé de quitter pour mieux !

Mais le Saint-Laurent passe, demeure et les accueille sans penser à cela. Il les voit venir de très loin et il les voit s'entremêler et se confondre comme lui-même confond et entremêle les eaux de l'Outaouais, du Richelieu, de la Yamaska, de la Saint-François, du Saint-Maurice, de la Chaudière, du Saguenay, de la Manicouagan, de la Romaine et de tant d'autres, toutes eaux qui viennent également de très loin, du fond des terres hautes ou basses, toutes eaux confondues dans une grande brassée de lessive « océano-continentale » d'où sortent des paysages propres qui jouent de l'horizontale, de l'oblique et de la verticale sur le relief de son bassin hydrographique.

Cinquante-deux pour cent des Québécois prendront leurs vacances ici même, mais cela ne veut pas dire qu'ils ne sortiront pas.

Ils sortiront pour voir Louis Matte tailler des canards de bois au cap Tourmente et pour déranger Bruno Côté qui peint au cap aux Rets.

Ils sortiront pour faire de la voile avec les Du Sablon dans l'archipel de l'île aux Grues, à moins qu'ils ne montent à bord des « bateaux des Lachance ».

Ils sortiront en croisière avec la famille Dufour ou avec d'autres, partout où l'eau les excite et où des quais les rassurent en s'avançant vers eux devant des hôtels confortables.

Ils sortiront pour fuir durant quelques jours, une quinzaine, un mois, le lieu de leur travail, et ils salueront d'un souvenir le lieu de leur naissance, celui de leurs études et celui de leurs amours, peut-être.

Ils sortiront pour le plaisir de se battre contre le vent, la vague, le clapot, l'eau morte, et pour la paix des anses.

Ils sortiront vers des îles où ils croiront se retrouver seuls et où ils seront bien contents de trouver du monde.

Ils verront défiler des clochers qui sonnent les baptêmes, les mariages et les funérailles de leur famille depuis qu'ils ont de la famille.

Ils iront voir les baleines.

Ils s'étendront sur le sable des grèves et sur les ponts des bateaux pour recevoir un peu des caresses de l'Astre.

Ou alors ils se baguenauderont sur le même sable des mêmes grèves en ramassant des agates ou des coquillages, et en faisant ricocher des cailloux plats sur la vague pour montrer aux enfants qu'ils ont encore le tour.

Ils se tremperont le gros orteil dans l'eau en disant : « Maudit qu'elle est froide ! », et ils finiront par plonger et remonter à la surface en disant : « Maudit qu'elle est bonne ! »

À la sauvette, ils évalueront d'un œil furtif le contenu des maillots mouillés.

Et ces cinquante-deux pour cent de Québécois qui s'en iront en vacances chez eux seront attendus de pied ferme dans les campings, les gîtes, les « dodo-déjeuner », les auberges, les hôtels ; dans les casse-croûte et les restaurants ; dans les théâtres d'été, dans les boutiques, sur les bateaux de croisière.

Ils rencontreront des gens charmants, en vacances comme eux. Ils noteront leur adresse, promettront de se revoir, de s'écrire, et ils ne le feront jamais.

Ils mangeront des hot-dogs, des frites et de la « poutine » arrosée d'un cola sur les quais, mais ils ne reviendront pas sans avoir goûté aux bigorneaux, à la morue, au saumon, au homard, à l'esturgeon ou à l'éperlan, avec une mayonnaise aux câpres, à l'estragon ou à la coriandre, ou tout simplement avec un peu de beurre à l'ail et le vin de la maison s'il n'est pas trop mauvais.

Le ventre plein, ils s'offriront une dernière promenade au bord du fleuve, le fleuve qui, tout l'été, les attendra partout pour qu'ils le voient enfin et pour les prendre dans ses brumes et dans ses vagues, les emmener sur ses caps et dans ses anses, les étonner par ses oiseaux et ses poissons, les brasser dans la tempête et les apaiser quand il calmit, les gâter par ses aurores et les endormir avec ses crépuscules.

Il les bercera de ses plus belles menteries et ils passeront, sans les voir, au-dessus des épaves qui, du fond de l'eau, témoignent bien que nous sommes en « pays de cul », alors qu'en surface, quand le soleil se couche et avant que le vent ne se lève, c'est le plus beau pays du monde.

Rabelaisiens de bonne souche pour la plupart, en toute logique et avec un tantinet de vulgarité, peut-être bien que cinquante-deux pour cent des Québécois trouvent qu'un « pays de cul » est, par définition, le plus beau pays du monde.

Carte postale

Allô, Lucien !

J'ai de la brume plein les lunettes et de la rosée plein les bottines, mais toi qui restes assis dans ton logis à contempler ce pays sur des cartes géographiques, dis-moi : y a-t-il quelque limite à sa grandeur ?

« J'ai vu venir l'Atlantique et je l'ai vu s'en retourner »

Je m'en allais à Covey Hill, mais auparavant je devais m'entretenir avec les aînés du programme de formation continue de l'université de Sherbrooke, à la belle maison Trestler de Dorion. Durant la conversation, ils me demandèrent comment je travaillais et je le leur expliquai.

— Justement, je suis en route pour Covey Hill, d'où je veux regarder la mer Champlain dans toute sa majesté.

Et ne voilà-t-il pas qu'un homme s'avance et me dit :

— Si vous allez à Covey Hill, ne manquez pas de vous rendre à Hemmingford pour voir le gouffre !

— Le gouffre ? Où, le gouffre ?

— Je le sais pas. J'avais quinze ans et j'en ai soixante-cinq. J'étais à Hemmingford et mon cousin m'a emmené voir le gouffre. On a fait un bout en auto et on a marché longtemps dans le bois. Tout d'un coup, je vous le jure, monsieur, on est arrivés au gouffre, coupé, tiens, coupé comme ça à nos pieds, et dans un boisé tel que, ma foi, on aurait quasiment pu tomber dans le gouffre sans le voir. C'est bien simple, la terre s'ouvre devant vous sans avertissement. Vous voyez l'eau au pied de la falaise en face, mais pas à vos pieds parce que vous êtes au-dessus. Manquez pas ça, monsieur, et faites attention !

Bon !

Sauf que j'allais à Covey Hill pour voir la mer Champlain. Et j'y allais pour une raison bien simple : je devais passer une partie de l'été sur le Saint-Laurent et, de ce modeste sommet des Adirondacks, je savais que j'allais voir enfin tout ce que j'avais lu sur le sujet.

Lu quoi ? Entre autres choses, que « le Saint-Laurent a la noblesse d'être le plus ancien de tous les fleuves ».

C'est le frère Marie-Victorin qui parle ainsi en 1935 alors qu'il signe la première édition de sa *Flore laurentienne*[1].

Cinquante-neuf ans plus tard, on reste un peu ébahi de lire ces lignes sans y avoir soi-même pensé. Dès l'école primaire, on nous répétait que les Laurentides étaient les plus vieilles montagnes de la planète. Mais sans doute a-t-on autre chose à penser quand on se trouve immobilisé sur un pont ou sur un autre en essayant de sauter ce sacré fleuve qui est tout à la fois une bénédiction et une calamité permanentes par la liaison qu'il établit entre le cœur du continent et l'océan et par la division qu'il entretient entre compatriotes tributaires et solidaires les uns des autres sur des rives qui les écartent progressivement. Disciple et ami de Marie-Victorin, le botaniste et ethnologue Jacques Rousseau reprend le thème avec un beau lyrisme :

1. Frère Marie-Victorin, é.c., *Flore laurentienne*, deuxième édition, 1964, Presses de l'université de Montréal, p. 47.

« Immense canal creusé dans la pierre vive, artère ramifiée sur presque un continent, témoin des premiers jours, berceau de vie, le Saint-Laurent[2]. »

Ces hommages au doyen de tous les fleuves ne doivent pas nous faire croire que le Saint-Laurent nous attendait depuis des millénaires dans son découpage et son tracé actuels. Bien au contraire, il s'est formé dans les limbes des temps précambriens, avant la dérive des continents, au moment où l'Amérique était encore soudée à l'Europe. L'itinéraire qu'il nous propose aujourd'hui dans sa tranchée entre les Laurentides et les Appalaches, entre le cœur de l'Amérique et la porte de l'Atlantique, entre le précambrien et le quaternaire, est le plus ancien livre d'histoire du monde. Les géologues continuent de le déchiffrer pour nous et nous offrent, d'année en année, des visions de continents qui dérivent et qui, passant au-dessus d'un point chaud du manteau de la Terre, se mettent à faire des bulles comme dans le sucre à la crème, mais des bulles en forme de montérégiennes[3] ; des visions de glaciers qui se forment, s'avancent et se retirent, poursuivis par des mers qui envahissent le territoire et qui, en retournant d'où elles viennent, laissent ici et là des restes de baleines et des coquilles de mollusques pour les musées qui en veulent.

Le dernier glacier aurait commencé à fondre il y a quinze mille ans, laissant derrière lui la mer Champlain.

Allons donc voir les choses il y a douze mille ans, soit dix mille ans avant Jésus-Christ.

---

2. Jacques Rousseau, « Pour une esquisse biogéographique du Saint-Laurent », *Cahiers de géographie de Québec*, numéro 23, septembre 1967, Presses de l'université Laval, p. 181.

3. Bruno Landry et Michel Mercier, *Notions de géologie*, troisième édition, 1992, Modulo éditeur.

Une simple machine à remonter le temps, une machine en forme d'imagination, nous dépose alors sur une île, un îlot, devrait-on dire, l'îlot Mont-Royal, en plein centre de la mer Champlain. Il surplombe d'une vingtaine de mètres tout au plus les eaux qui nous entourent et qui sont celles de l'océan Atlantique. Le glacier a écrasé le continent sous son poids comme une balle de caoutchouc sous un pied et, maintenant qu'il fond, l'Atlantique envahit la dépression qu'il laisse derrière lui.

Il n'est pas fondu partout. Au nord, il recouvre encore les Laurentides et il rutile au soleil en ce beau matin.

Mais à l'ouest, à l'est et au sud, c'est la mer, la mer jusqu'à Pembroke sur l'Outaouais, jusqu'à Brockville en Ontario, jusqu'à Burlington au Vermont. C'est la mer avec tout au plus six îles bien visibles d'ici, surtout celle d'où on regarde tout cela, mais aussi l'île de Rigaud et quatre îles montérégiennes : Saint-Hilaire, Saint-Grégoire, Rougemont et Yamaska. L'île Saint-Bruno apparaîtra dans quelque cinq mille ans ; pour l'instant, elle est submergée.

Loin vers l'est, on devine une chaîne de montagnes qui court vers le nord dans la brume. Les monts Sutton, peut-être.

Toutefois, c'est au sud que se situe le point le plus intéressant. Une autre chaîne de montagnes, les Adirondacks, s'avance de très loin dans la mer et se termine abruptement par un cap, le cap de Covey Hill, et la même machine à remonter le temps nous y transporte à l'instant, au-dessus des bélugas qui jouent à saute-mouton dans les vagues en se moquant des requins.

Du haut de Covey Hill, la vue est franchement meilleure car tout le spectacle est devant soi comme si l'on se trouvait aux premières loges pour voir le Cirque du Soleil.

Et c'est bien de ce genre de spectacle qu'il s'agit. Le soleil est derrière, franc sud, pour éclairer la scène ; à l'ouest, le glacier brille de toutes ses coquetteries ; à l'est, la chaîne des monts Sutton se découpe nettement mieux et, au nord, devant soi, la mer clapote, tantôt calmement, tantôt avec rage, tant au pied du cap que parmi les îles dispersées. Et une voix sourd de la terre pour murmurer entre les broussailles, car il y a des broussailles :

« J'ai vu arriver l'océan Atlantique.

« L'Atlantique est passé à droite. L'Atlantique est passé à gauche. Mais l'Atlantique n'est pas passé par-dessus moi. »

Oublions la machine à remonter le temps et prenons la voiture. Toutes les routes mènent à Covey Hill quand on le veut, mais le plus simple est d'arriver carrément à Havelock par la 203 ou la 202, de monter jusqu'à la croisée, de couper à droite, de suivre la courbe paresseuse du sommet jusqu'à la montée Stevenson, une montée que l'on descend bien doucement. À nos pieds, ce n'est plus la mer mais la plaine, la plaine sur deux cent soixante-dix degrés et plus de deux cents kilomètres d'horizon, une plaine coupée de routes, piquée de clochers, et où les îles de tout à l'heure sont devenues les montérégiennes, ces montagnes familières.

Le décor de surface a bien changé, mais, tout du long, à travers les arbres cette fois, la même voix reprend :

« J'ai vu arriver l'Atlantique et je l'ai vu se retirer.

« L'océan suivait le retrait du glacier. Il est venu battre jusqu'à mes pieds mais je lui ai dit : "J'y suis, j'y reste." Six mille ans comme ça et, tranquillement, le continent écrasé se relevait, repoussant l'océan là d'où il était venu. À l'ouest, le Saint-Laurent a retrouvé son lit. À l'est, le Richelieu aussi. Toutes sortes de rivières se sont faufilées aux défauts de la plaine comme des couleuvres dans l'herbe : la Châteauguay, la Yamaska, la rivière Noire, la rivière des Anglais…

« J'ai vu les premiers Amérindiens qui venaient en bandes chasser l'outarde et le cerf. J'ai vu les Blancs, ceux du Sud et ceux du Nord, qui marchaient en uniforme et en rangs pour se faire la guerre. Puis j'ai vu les colons qui ont construit des églises, des maisons et des granges, qui ont labouré la plaine et qui l'ont ensemencée, qui l'ont mouchetée de troupeaux, qui ont orné toutes les montérégiennes d'une frange de pommiers, qui ont entaillé les érables et qui ont clôturé des cimetières.

« J'ai tout vu car d'ici on voit tout. »

***

Que trouve-t-on à Covey Hill ?

Grâce à Mme Suzanne Laurendeau, Janouk, ma compagne de voyage, et moi avons d'abord trouvé L'Hermine, un domaine sous les érables où nous avons été accueillis par un chevreuil qui traversait nonchalamment la route et qui détala en nous faisant des « be-bye » avec sa queue. Ensuite, il y eut Cybèle, une aimable chienne toute en sauts, qui tenait à se faire caresser l'arrière des oreilles. Enfin, il y eut Hermine elle-même, une maîtresse femme qui, avec son mari Gaétan Ouimet, dirige une véritable industrie de l'hospitalité, une industrie basée sur le sirop d'érable, un élixir ambré et moelleux qu'elle vous offre dans un petit verre comme une lampée de cognac.

Là, nous avons parlé, pour découvrir que le Gouffre, identifié comme tel avec sa majuscule jusque dans le *Répertoire toponymique du Québec*, n'était pas à Hemmingford mais bien sur le sommet de Covey Hill.

Nous y étions le lendemain, grâce aux indications de Michel Blais, leur gendre. À peine derrière le sommet se trouvent trois lacs creusés par les eaux de fonte du glacier, dont l'un, le Gouffre, a plutôt l'air d'avoir été taillé au ciseau dans les couches de grès du cambrien. Ses parois parfaitement verticales, hautes de vingt-deux mètres, tantôt percées de cavernes, couronnées de surplombs vertigineux et d'une forêt de pins, tombent dans les eaux noires, profondes de vingt-six mètres, parmi des talus d'éboulis et des repousses audacieuses.

Cette merveille est à cheval sur notre frontière avec les U.S.A. mais les fermiers canadiens n'en permettent pas l'accès et nos gouvernements n'y ont pas encore pensé. Il faut traverser aux États-Unis, prendre le Rock Road à droite et suivre le sentier parfaitement balisé sur cinq kilomètres de multiples splendeurs avant de se faire couper le souffle à angle droit comme tombent les falaises qui se regardent d'un pays à l'autre. Sur elles, telles des voisines de balcon, les bornes frontière se disent bonjour.

La tradition populaire veut que le nom de Covey se rapporte aux premiers pionniers de l'endroit, mais vous avez beau inspecter le cimetière, vous ne trouvez pas de Covey là. Vous n'en trouvez pas davantage dans les annuaires de la région ni même dans celui de Montréal. Alors, las de chercher, vous décidez que le nom vient d'ailleurs, mais d'où ? Alors, et alors seulement, l'évidence vous saute en pleine face, comme une falaise dans la forêt : *cove* peut se traduire par « précipice, gouffre », et Covey Hill devient tout naturellement ce qu'elle est depuis quinze mille ans, « la colline du gouffre » !

Sauf que l'évidence est une fausseté, comme il arrive si souvent. Un lecteur aussi méticuleux qu'André Désaulniers est pris au piège de la recherche et retrouve *History of Huntingdon Châteauguay and Beauharnois*, de Robert Sellar[4], où les pages 23 à 30 racontent l'histoire d'un

4. Robert Sellar, *History of Huntingdon Châteauguay and Beauharnois*, The Canadian Gleaner, 1888.

Covey, Samuel lui aussi, grand chasseur devant l'éternel, qui s'en fut mourir et se faire enterrer à Guananoque, en Ontario, pour la plus grande confusion des écrivains québécois, qui le cherchaient évidemment ailleurs.

Que trouve-t-on d'autre à Covey Hill ?

On trouve, c'est déjà dit, des gens merveilleux comme Hermine et Gaétan Ouimet, qui vous reçoivent à « dodo-déjeuner » au milieu de leur érablière en racontant les beautés et les lacunes naturelles et sociales de l'endroit ; comme Michel Blais et son épouse Céline, qui connaissent tout de leur environnement et qui élèvent un jeune Samuel sur le fond de la mer Champlain.

On trouve aussi des initiatives malheureuses qui blessent le coup d'œil, parce que les promoteurs qui invitent les moins bien nantis à la campagne ne s'embarrassent pas des conseils d'architectes paysagistes quand vient le temps de faire une piastre.

Et on trouve toujours des vergers et des érablières qui descendent la colline avec les troupeaux pour se répandre à perte de vue parmi des champs de maïs et de fourrage bien alignés au fil des rangs qui n'en finissent plus de carreler le plancher de l'ancienne mer. Et quand on y est revenu, dans cette plaine, il est bien difficile de ne pas se retourner pour regarder encore une fois la colline, la citadelle balafrée, la vieille sentinelle des Adirondacks qui ressemble davantage à une baleine échouée sur le paysage et qui murmure encore :

« J'ai vu venir l'Atlantique et je l'ai vu s'en retourner. »

Carte postale

Chère Suzanne,

Où étais-tu quand je me suis levé dans le premier matin du monde ?

Je le sais, tu dormais, et il m'a fallu bien du temps pour t'éveiller.

Maintenant, prends le temps qu'il faut. Ouvre-toi les yeux et regarde les merveilles.

À bâbord, à tribord et à bord

— Le Saint-Laurent est méconnu des Québécois.

Le capitaine Maurice Dufour parle toujours calmement, posément. On dirait qu'il n'a jamais besoin de réfléchir car il a déjà réfléchi à tout. Il admet d'ailleurs qu'il lit beaucoup.

— Le soir, nous, les marins, on n'a rien que ça à faire.

Moustache en parasol, cheveux bruns qui furent peut-être roux et où les blancs se pointent timidement un à un dans sa quarantaine svelte, aimable et pondérée, il n'appartient pas à cette tradition de navigateurs soûlards qui roulent sur le pont comme les barriques qu'ils ont vidées. Et quand il dit : « Le Saint-Laurent est méconnu des Québécois », il ne répond pas à une question mais à l'exclamation d'un visiteur qui s'est glissé dans la timonerie et qui a simplement dit : « Maudit que c'est grand et que c'est beau ! »

Le *Famille-Dufour* a quitté le port de Montréal à huit heures ce matin et il descendra le fleuve jusqu'à Tadoussac avec une quarantaine de joyeux passagers qui ne se connaissent pas les uns les autres et qui auront six jours non seulement pour se connaître mais aussi pour connaître davantage une artère vitale du Québec et du Canada.

En une petite heure de navigation, les paysages ont changé du tout au tout. Après l'arrogance verticale du centre-ville, le profil de Montréal est revenu à l'horizontale le long des quais d'Hochelaga et de Pointe-aux-Trembles, des quais interminables où s'alignent des grues diversement préhensiles. Elles font le guet devant des tas de toutes sortes d'affaires et devant des conteneurs empilés aussi sagement que des idées reçues. Puis les quais font place eux-mêmes à des banlieues qui s'étirent autour d'un clocher. Elles semblent bâiller encore, les banlieues, dans ce petit matin gris qui n'a pas tout à fait réussi à se lever malgré la brise qui l'agite doucement. Après les quais, les premières îles, celles de Boucherville, toutes vertes d'une végétation flambant neuve, puis, plus longues et aplaties, celles de Verchères. À tribord, voici justement Madeleine, debout sur son socle, le mousquet à la main, et qui crie peut-être :

— Le Saint-Laurent est méconnu des Québécois.

Les quais, leurs installations, les produits de commerce international qui forment la trame de notre vie économique, tout cela est invisible de la route et souvent, plus souvent qu'autrement, des barrières et des pancartes diverses nous interdisent même d'aller y voir de plus près. Idem pour les îles que l'on aperçoit de loin seulement, et à condition de faire un détour par les quais d'où on peut les voir.

Hugues Morrissette, géographe et directeur du Secrétariat à la mise en valeur du Saint-Laurent, dit exactement la même chose que Maurice Dufour et Madeleine de Verchères :

— Les Québécois prennent le fleuve pour acquis ou l'ignorent totalement. Il n'y aurait pas de fleuve que ce serait plus tranquille. Moins de noyades ! Et le Québec ressemblerait à la Saskatchewan !

Mais à bord du *Famille-Dufour*, on voit toutes les choses que les Québécois ne voient généralement pas, et ce sacré fleuve, mince comme une ficelle tendue d'un coin à l'autre de nos cartes routières, prend toute sa dimension, plus large et plus imposant que toutes nos autoroutes réunies. Il prend également toute son importance : c'est lui l'artère principale du pays ; il n'est pas seulement l'aboutissement de nos ruisseaux et de nos rivières, il est la source et l'aboutissement de notre industrie.

Hugues Morrissette estime qu'il génère quatre-vingt-dix pour cent de notre activité économique.

Oui, cela se voit aussi bien le long des paroisses vertes que devant les grues de Montréal, de Sorel, de Bécancour, de Trois-Rivières et de Québec. Bois, papier, céréales, conteneurs, vracs liquides et solides sont embarqués et débarqués en des points stratégiques le long des rives où l'agriculture dispute ses droits à la villégiature de clocher en clocher.

Ces clochers, toujours flanqués d'un presbytère et d'un couvent, sont les témoins du Saint-Laurent et du Québec. Tout a commencé le long des rives et tout y revient. C'est le Québec qui défile à bâbord et à tribord devant la roue de Maurice Dufour et du premier lieutenant Claude-Yves, Dufour lui aussi. Dans le ventre du navire, Louis Tremblay et Gino Brisson voient au bon ordre des machines et à l'uniformité du vacarme.

Le Québec est à bord aussi. Équipage compris, nous sommes une bonne cinquantaine, en vacances pour la plupart, car peut-être faut-il être en vacances pour reprendre la route oubliée, la route des siècles passés, malheureusement délaissée par la majorité des Québécois et merveilleusement délaissée par les agences publicitaires.

Et peut-être sont-ce là les vraies vacances : il n'y a pas de publicité le long de cette vieille route continentale. Pas de chicanes entre stations-service, pas de chicanes entre restaurants, pas de chicanes entre motels à la semaine, à la journée ou à l'heure.

Même la signalisation est internationale, c'est-à-dire muette : des bouées vertes à droite, rouges à gauche ; des points lumineux orange, verts ou blancs, piqués sur les caps et les berges, et qui s'alignent dans le droit prolongement du chenal.

C'est tout. La paix, de Montréal jusqu'à Québec et au-delà. La vraie paix, celle qui ressemble à un don des dieux. À moins que la brume ne s'installe sur l'eau pour faire brailler les phares, ce qui nous sera épargné.

Les vents violents aussi nous seront épargnés. De Montréal à Tadoussac, avec tout juste quelques exceptions pour confirmer la règle, les églises sont construites dans le sens du fleuve avec un portail au sud-ouest pour éviter les sautes d'humeur du nordet qui remonte directement du Labrador par le détroit de Belle-Isle. C'est comme si, en descendant le fleuve, le *Famille-Dufour* remontait les églises.

Voici un dernier archipel avant celui de l'île aux Grues, en aval de Québec. Ce sont les îles de Sorel, où l'on croit voir le fantôme du Survenant, où l'on croit entendre le rire de Marie-Didace et où l'on respire le même air que Mme Germaine Guèvremont. Voici maintenant que le fleuve s'évase et s'envase. Pour faire son chemin sur cette nappe parfaitement plate, le navire zigzague entre les bouées qui balisent le chenal comme les arceaux d'un jeu de croquet, à mi-distance de Maskinongé, Louiseville et Yamachiche à bâbord, de Pierreville, Baieville et Nicolet à tribord.

À bord, la table est bientôt mise et ce sera le premier repas, le premier vrai contact entre tous ces gens vraiment disparates, marchands, traducteurs, techniciens, secrétaires, infirmières, mécaniciens, matelots, venus de Chicoutimi, Sherbrooke, Laval, Longueuil, LaSalle, Grand-Mère, Québec et… l'île aux Coudres, toutes gens qui ne se connaissaient pas ce matin et qui, pour la plupart, voudront s'embrasser avant de se quitter jeudi prochain.

Mais la plupart ont quelque chose en commun. Treize d'entre eux ont gagné un concours à la télévision. Avec leurs conjoints, cela fait vingt-six. Ils sont majoritaires, donc. Ils se regardent. Timidement d'abord. Puis ils se reconnaissent car ils ont regardé l'émission de semaine en semaine.

— Lui, il a gagné la semaine avant moi. Et vous ?

— Moi, je n'ai rien gagné. Je suis à bord pour regarder le fleuve, ses rives, ses gens, et pour vous regarder un petit peu aussi, sans qu'il y paraisse trop trop !

Au bout du lac, le soleil nous dit bonjour et le pont Laviolette annonce Trois-Rivières. Quand on roule dessus, les ponts Jacques-Cartier, Laviolette, Pierre-Laporte, de Québec et de l'île d'Orléans nous offrent la rigidité et la solidité qu'on attend d'eux, mais, vus de l'eau, c'est de la guipure qui flotte en l'air d'une rive à l'autre, aussi légère qu'une toile d'araignée.

Sur l'eau, les rencontres sont peu nombreuses aujourd'hui et cela ne fait que confirmer les statistiques : le nombre des bateaux diminue mais leur tonnage est en croissance. En croissance également est le nombre des bateaux autodéchargeurs qui, forcément, se dirigent vers les ports possédant les installations adéquates pour les accueillir. C'est un domaine où l'innovation technologique est très forte même si cela n'apparaît pas dans notre vie quotidienne, et les ports du Saint-Laurent ont le choix entre suivre le mouvement et regarder passer les bateaux.

Par contre, le nombre des embarcations de plaisance augmente dangereusement, au dire du capitaine Dufour :

— Il faut un permis pour s'acheter une arme à feu ou une automobile, mais n'importe quel fou peut s'acheter un bateau.

Sous le soleil glorieux qui nous accueille à Québec, quelques dizaines d'embarcations dodelinent joliment de la voile à l'occasion de ce qui est sans doute leur première sortie, car, aux marinas de Sillery et de Québec comme à celles que nous avons déjà croisées, la plupart des mâts sont encore au garde-à-vous dans leurs quartiers d'hiver.

Ce qui pose problème ici, ce n'est pas le nombre de gens qui redécouvrent le Saint-Laurent de cette agréable façon, mais plutôt l'absence de toute réglementation. Les plaisanciers dignes de ce nom sont d'ailleurs les premiers à déplorer les frasques de leurs congénères à voile, à moteur et à bière.

Mais voici Québec la coquette, qui, toute fière sur son cap, regarde Lévis, tellement plus modeste. On a beau l'avoir vue mille fois, c'est comme ne l'avoir jamais vue et elle le sait très bien.

À Sainte-Pétronille, l'île d'Orléans se pointe le bout du nez dans le paysage, et, au-delà, le cap Tourmente saute à l'eau pour annoncer que les Laurentides ont rejoint le fleuve et qu'elles ne le quitteront désormais qu'à la faveur d'anses et de baies aussi jolies que rares, jusqu'à la gueule du Saguenay où Tadoussac nous attend.

À tribord, la Côte-du-Sud commence à réciter la litanie de ses beaux villages, beaux comme dans Beaumont, Saint-Michel, Saint-Vallier, Berthier. Tiens, voici une ville, Montmagny ! Ensuite, la litanie reprend avec Cap-Saint-Ignace, L'Islet, Saint-Jean-Port-Joli, Saint-Roch-des-Aulnaies. Tiens, une autre ville, La Pocatière ! Et cela continue avec Rivière-Ouelle, Saint-Denis, Kamouraska, Saint-André, Notre-Dame-du-Portage, Rivière-du-Loup et ainsi de suite, mais on ne voit plus très bien, parce que les rives s'éloignent, que des îles s'interposent et que le *Famille-Dufour* navigue dans le chenal du Nord en contournant des caps, en saluant Petite-Rivière-Saint-François, Baie-Saint-Paul, La Malbaie, Saint-Siméon, et en fonçant jusqu'à l'embouchure du Saguenay.

Là, la toupie du haut-fond Prince lui tape un clin d'œil et il vire pour entrer à Tadoussac, Tadoussac étendu dans le sable parmi des « cabourons » de granit qui lui font une auréole en cet après-midi du deuxième jour.

À bâbord, le Saguenay débouche de son fjord ; à tribord, l'estuaire veut devenir golfe. À bord, les passagers sont appuyés au bastingage et regardent.

Tout cela est si beau que le pire sera d'en revenir.

Carte postale

Bonjour, Thérèse !

J'ai bien pensé à vous en croisant sous les deux clochers de Sainte-Croix de Lotbinière et, en votre nom, j'ai salué votre ancêtre Jean-Baptiste qui, fuyant sa famille pour fonder la vôtre, déserta le navire en plongeant pardessus bord et nagea jusqu'à la rive, où il dort paisiblement depuis 1749.

En quittant Tadoussac le surlendemain, j'ai eu envie de faire comme lui.

Quelle famille !

Quand le *Famille-Dufour* quitte le port de Montréal en direction de Québec, Léo Dufour, sur le quai de l'Horloge, est le dernier à le regarder partir, et quand le *Famille-Dufour* arrive à la pointe à Carcy, Léo Dufour, dans le port de Québec, est déjà là pour recevoir les amarres et enfiler les erses aux bittes du quai.

Le scénario se répète à Québec et à Tadoussac le lendemain, puis à Tadoussac et à l'île aux Coudres, à l'île aux Coudres et à Québec, à Québec et à Montréal.

Léo Dufour est toujours le dernier à voir partir le bateau et le premier à le voir arriver. On pourrait croire qu'il est homme de quai pour l'entreprise familiale, mais ce n'est pas tout à fait juste. Il est le président de cette entreprise qui possède trois bateaux de croisière, cinq hôtels d'une capacité totale de quatre cent vingt-huit chambres, cinquante-deux unités de motel, et qui emploie quelque cinq cent cinquante personnes.

Le miracle Desjardins et le miracle Bombardier sont des archétypes de la vie économique québécoise. Le miracle de la famille Dufour est en train d'en devenir un autre.

Comme toutes les belles histoires, celle des Dufour commence de la façon la plus ordinaire qui soit : par un mariage, en 1932, celui d'Alvine Desmeules et de Louis Dufour. Le couple est de l'île aux Coudres et il s'installe au cap aux Pierres, sur les hauteurs de La Baleine. Dans le temps qu'il faut pour les faire, il y eut un jour quinze enfants chez les Dufour. Quinze enfants plus ou moins. Les uns disent seize ou dix-sept car deux enfants sont décédés en bas âge et deux autres ont été adoptés quand ils se sont retrouvés orphelins.

Une famille typique de l'île aux Coudres, quoi !

On devine tout de suite que le père naviguait ou travaillait à l'extérieur et qu'il rentrait à l'île de façon très sporadique, pour dire bonjour à tout le monde, y compris son épouse.

En 1956, le père et les aînés se mirent à la tâche pour bâtir une nouvelle maison à la grandeur de la famille, mais, comme il arrive partout ailleurs, ces mêmes aînés étaient déjà en âge d'aller gagner leur vie à l'extérieur et, d'année en année, la nouvelle maison se trouva de plus en plus grande.

À un kilomètre et demi de là, une auberge prospère et de grande renommée, *La Roche pleureuse*, commençait à recevoir plus de visiteurs qu'elle n'en pouvait loger et ses propriétaires, d'autres Dufour, leur trouvaient des chambres dans des maisons voisines, tout en continuant à les recevoir à leur table.

Sylvie Dufour est une Racine, de Beauport, mais elle a épousé un Dufour, Gérard, et c'est elle qui raconte la suite.

— Les chambreurs envoyés par *La Roche pleureuse* trouvaient que ça sentait bon dans la cuisine de maman

Dufour à l'heure des repas et c'est comme ça que tout a commencé. On les gardait à coucher, on a commencé à les garder à manger. Tant et si bien que les enfants ont pris la situation en main. La maison s'est agrandie jusqu'à devenir un hôtel.

Durant les années 1950, le cinéaste et écrivain Pierre Perrault découvre Charlevoix et la Côte-Nord. De Petite-Rivière-Saint-François jusqu'à Blanc-Sablon, il se promène avec le compositeur et interprète français Jacques Douai et des preneurs de son. Il recueille des dits et Douai recueille des chansons. Puis, chaque semaine, Radio-Canada met à l'antenne une émission qui restera un classique : *Au pays de Neufve-France*. Jacques Douai ouvre et ferme l'émission en chantant :

C'est sur les bords du Saint-Laurent
Pi pan pan c'est l'amour qui la prend
C'est sur les bords du Saint-Laurent
Qu'y avait une jolie fille

... et Pierre Perrault présente tous ces gens qui parlent de loups-marins, de gibbars, de marsouins, de voitures d'eau, et qui s'agitent dans des horizons pas mal plus vastes que ceux de nos métropoles.

Dans les années 1960, Perrault retourne à l'île aux Coudres, avec des cameramen cette fois, et tourne *Pour la suite du monde*. Le succès est immédiat. Les gens voient le film d'abord et descendent à l'île ensuite. En moins d'une génération, l'industrie touristique supplante tout ce que l'île connaissait d'activités économiques.

Les Dufour vont profiter du succès.

Mais voici que l'hôtel Cap-aux-Pierres est rasé par les flammes en 1976. Tant pis. Emportée par le succès, la famille reconstruit l'hôtel la même année. Son architecture de style canadien frise la démesure dans le décor rustique de l'île aux Coudres, mais tout frise la démesure dans l'histoire de la famille Dufour, et, s'il faut expliquer sa place actuelle au premier rang des entreprises touristiques québécoises, « la gestion du succès » est sans doute la seule expression qui convienne.

Cette gestion est familiale, mais comme il n'y a pas encore cinq cent cinquante Dufour dans la famille, il y a place pour toutes sortes de spécialistes dans l'entreprise et la famille s'efforce de recruter le personnel autour de ses bases d'opération, dans la mesure du possible. Dès le départ, l'hôtel Cap-aux-Pierres permit à plusieurs habitants de gagner leur vie sur leur île. Il en fut de même à Tadoussac quand la famille fit l'acquisition du fameux hôtel du même nom en 1984.

Mais pourquoi acheter l'hôtel Tadoussac quand l'hôtel Cap-aux-Pierres allait si bien ? Parce que les touristes venaient de découvrir un vieux phénomène : les baleines qui, l'été, remontent le Saint-Laurent jusqu'à l'embouchure du Saguenay. C'est un engouement qui dure encore, tant est fascinant le ballet de ces géants.

Cela sera une autre histoire.

Les baleines ne venant pas toujours batifoler devant les pelouses de l'hôtel, il fallait bien un bateau pour aller les voir évoluer sur le fleuve.

En achetant l'hôtel, l'entreprise s'était trouvée propriétaire d'un bateau de quarante-neuf places, le *Tadoussac II*, bien incapable de répondre à la demande. Il fallait trouver autre chose et ce fut la *Marie-Clarisse*, petite sœur du *Bluenose*, qui navigue encore sur nos pièces de dix cents, et construite dans les chantiers de Shelburne, en Nouvelle-Écosse, en 1922. La pauvre goélette avait passé six mois au fond du bassin Louise, à Québec, avant d'être radoubée dans les chantiers de Saint-Bernard-de-l'Île-aux-Coudres. C'est là que, à force de la voir, la famille Dufour décida de l'acheter. Elle fut classée monument historique en 1978 et, de son port d'attache à Tadoussac, c'est le seul monument historique qui remonte le Saguenay et qui participe à des safaris visuels aux baleines sur le Saint-Laurent.

Vint ensuite la saga du Manoir Richelieu. La famille Dufour en assuma la gérance pendant trois ans avant que Raymond Malenfant n'obtienne les subventions nécessaires pour l'acheter et en faire le gâchis historique que l'on sait. Le casino, ouvert le 24 juin 1994, semble devoir réparer ce haut fait.

Entre-temps, la famille Dufour s'est tournée vers le ski en construisant le somptueux hôtel Val-des-Neiges au pied du mont Sainte-Anne et en faisant l'acquisition de *La Pignoronde*, à Baie-Saint-Paul, à proximité du massif de Petite-Rivière. Si la ville de Québec devait obtenir les Jeux olympiques d'hiver de l'an 2002, les épreuves de ski se dérouleraient entre ces deux hôtels !

Les hôtels Val-des-Neiges, Cap-aux-Pierres et Tadoussac sont de gros établissements qui, pour être rentables, doivent être fréquentés même hors saison. Autrefois, la Canada Steamship Lines avait compris cela et se servait des « bateaux blancs », le *Québec*, le *Saint-Laurent*, le *Richelieu* et le *Tadoussac*, pour remplir ses hôtels de Québec, de Pointe-au-Pic et de Tadoussac. La famille Dufour s'en souvenait pour les avoir tant vus passer et elle cherchait elle aussi un navire.

Elle le trouva en le construisant de toutes pièces dans une cale sèche qu'elle avait aménagée au pied du cap aux Pierres. Depuis quatre ans maintenant, le *Famille-Dufour*, trente-sept mètres, trois ponts en aluminium et en acier inoxydable sur deux moteurs qui lui donnent une propulsion de deux mille chevaux-vapeur, fait des croisières hors saison entre Montréal et Tadoussac, et, durant la saison, de son port d'attache à Tadoussac, il va aux baleines jusqu'à trois fois par jour.

Il manquait quelque chose à tout cela, un pied-à-terre à Québec même, et la famille Dufour régla le problème en 1992 en achetant les quatre-vingt-seize chambres de l'hôtel Clarendon, l'auberge des connaisseurs située en plein centre du vieux Québec.

Il manque encore quelque chose, un navire de croisière plus spacieux et plus rapide, qui relierait Montréal à Québec et à Tadoussac et qui permettrait au *Famille-Dufour* de se consacrer entièrement aux baleines, avec sa capacité de quatre cent quatre-vingt-dix passagers debout. Ce nouveau navire, on sent qu'il navigue déjà entre les oreilles de la famille et qu'il y aura bientôt du nouveau.

Il faudra du nouveau ! Notamment pour promener les Américains qu'on veut attirer en congrès au bord du Saint-Laurent et du Saguenay. Les chambres sont prêtes et les salles de conférences sont vides, mais, sans dire pourquoi, les publicitaires de la famille font des voyages à New York et ailleurs en deçà du quarante-cinquième parallèle.

Au-delà des tiraillements que peut susciter la réussite face à la concurrence, on sent partout, de Québec à Tadoussac, une vaste solidarité pour cette entreprise qui grandit avec les gens de la place, qu'ils soient navigateurs, mécaniciens, cuisiniers, domestiques, animateurs ou autres. Et c'est une entreprise dont tout le Québec peut être fier car ses membres sortent des écoles que nous avons créées pour eux : nos universités, notre Institut de tourisme et d'hôtellerie, notre Institut de marine et nos cégeps, où ils vont chercher des DEC en tourisme.

Avec ses entreprises, la famille Dufour est en train de redonner le Saint-Laurent aux Québécois.

Quand on pense que tout cela a commencé parce que ça sentait bon dans la cuisine d'Alvine Dufour !

Carte postale

Chère madame Perron,

Je suis passé deux fois devant Cap-aux-Oies, mais je n'ai pu téléphoner qu'une seule fois et ça ne répondait pas. Il faisait tellement beau ! J'ai pensé que vous étiez en train de faire vos semences, et, tandis que Sylvie Dufour me racontait l'histoire de sa famille, j'ai revu vos enfants, navigateurs et cuisiniers, et je me suis souvenu que ça sentait fort bon aussi dans votre cuisine.

Des îles, des récifs et des phares

François Lachance devient un peu ému quand il dirige son bateau dans l'archipel de l'île aux Grues en évoquant les souvenirs de sa famille.

— Nous étions les seuls habitants de l'île au Canot et mon grand-père pensait que, pour rester sur une île, il était mieux de marier une fille habituée aux îles. Alors, il est allé courtiser Philomène Pruneau sur l'île Sainte-Marguerite. Il partait en chaloupe à rames avec la marée haute pour aller faire sa cour et revenait avec la marée basse.

Cette Philomène Pruneau avait la particularité de n'être jamais allée à l'école. C'est l'école qui était venue à elle en la personne de Mlle Masson, de la Grosse Île, qui changeait d'île quelques mois par année pour enseigner à la famille Pruneau, dont les enfants pouvaient remplir une école à eux tout seuls.

Il y avait beaucoup d'amour et, partant, beaucoup d'enfants dans ces îles, des enfants qui naissaient le plus souvent entre les mains de Valérie Lachance, la tante de François, mieux connue sous le nom de Mme Désir, du nom de son époux Désir Vézina, de l'île aux Grues, et réputée la meilleure sage-femme de tout le continent, le continent étant, bien sûr, l'ensemble des vingt-deux îles qui composent cet archipel situé au large de Montmagny... et du continent.

Tiens, voici que le *Lachance III* passe entre l'île au Canot et l'île aux Grues, justement devant la maison ancestrale.

— Vous auriez dû voir ça quand la marée adonnait et que les gens de l'île aux Grues venaient veiller chez nous d'une marée à l'autre au son de l'accordéon.

La marée pour les amours, la marée pour les veillées, la marée pour le foin qu'on allait chercher sur la batture de l'île aux Oies, la marée pour la pêche au bar, à l'esturgeon, au capelan et à la loche, la marée pour la chasse à l'oie blanche, la marée pour la vie et la marée pour la mort : les Lachance ont beau rester à Québec, à Montmagny ou ailleurs, ils ont encore la marée dans l'œil comme dans le sang, et Jean-François, le fils de son père, explique même comment jouer avec les points de marée pour aller dans l'estuaire et voir les baleines sans les déranger.

— Quand on sait comment s'y prendre, on se place et ce sont les baleines qui viennent nous voir car elles sont aussi curieuses que nous.

La maison ancestrale a été vendue avec l'île dans le temps où les îles se donnaient presque, et les îliens ne sont désormais propriétaires que sur l'île aux Grues.

Sauf que les Lachance ont racheté l'île Patience !

Le gouvernement canadien est propriétaire de la Grosse Île ; Bombardier, de l'île Madame ; Seagram, de l'île au Ruau par personne interposée, et cela continue jusqu'aux battures aux Loups Marins, propriété des Adams de Chicago, les magnats de la gomme à mâcher. Seules l'île aux Grues et la Grosse Île sont encore accessibles ; les autres sont interdites avec le cadenas et le fusil au besoin. Cela est bien dommage pour les visiteurs, mais la faune et la flore s'en accommodent fort bien. Fort bien, c'est trop dire. Sur le Pilier de Bois, un îlot en face de L'Islet, les cormorans achèvent de tuer la végétation avec leurs excréments.

Les piliers sont seulement quelques-uns des récifs qui entourent l'archipel, et même si le *Lachance III* est trop costaud pour les accoster, son capitaine est bien fier de raconter qu'il a mis le pied sur la plupart d'entre eux. Même chose pour les fameuses battures aux Loups Marins, vers lesquelles nous avançons prudemment dans maigre d'eau. Nous ne verrons que de loin cette île minuscule qui domine un immense haut-fond et où Philippe Aubert de Gaspé allait se raconter des histoires de loups-garous sous prétexte d'aller à la chasse.

Le lendemain, ce monde féerique nous est présenté sur un plat de service alors que Benoît Buteau, d'Air Montmagny, nous fait survoler l'archipel. Le plat de service, c'est le Saint-Laurent à marée basse, et les îles s'y sont posées d'elles-mêmes. Elles sont là, vertes et pimpantes dans leur écrin de vase, avec parfois un rien de brume, comme si elles voulaient nous défier de les nommer toutes.

Patience et Sottise en sont deux !

La merveille de ce petit matin, ce sera toutefois les battures aux Loups Marins, qui émergent en plein centre du fleuve comme un continent tout neuf, encore visqueux des membranes de sa mère, ruisselant de milliers de rigoles qui se contorsionnent dans les replis de sa surface pour rejoindre la mer, où il s'enfoncera de nouveau dans six heures.

Plus loin, c'est l'île aux Coudres avec ses aimables marsouins, ses pâtés croches, ses légendes et sa chanson qui berce les visiteurs du cap aux Pierres :

Île jolie, île de rêve
Qu'on ne peut s'empêcher d'aimer...

L'avion fonce vers Saint-Irénée, à peu près au centre du cratère météoritique de Charlevoix. Le minibus nous y attend pour nous conduire à Pointe-au-Pic, la très chic Pointe-au-Pic, la Westmount des bords du Saint-Laurent. On l'aime si on peut se l'offrir. Sinon, mieux vaut ne pas l'aimer. Mais c'est chic, très chic, plus chic que ce ne l'était quand Alexis le Trotteur se fouettait les mollets avec une hart et courait les rangs de Sainte-Agnès et de Clermont, juste pour se réchauffer avant de piquer vers Chicoutimi, cent kilomètres plus haut. Il ne court plus, il dort, Alexis. Il dort debout, exposé sous verre au musée du Saguenay–Lac-Saint-Jean, à Chicoutimi, après avoir longtemps reposé tout près d'ici, à l'abri de la croix qui surplombe La Malbaie.

Et nous reprenons la mer, en Zodiac cette fois, le Zodiac des Sentinelles du Saint-Laurent. Joli nom pour une entreprise qui donne une vocation nouvelle aux phares du fleuve, trois présentement, ceux du cap au Saumon, du cap de la Tête au Chien et de l'île Rouge.

Les caps au Saumon et de la Tête au Chien ont les mains longues, très longues. Tellement longues qu'on les voit de loin et qu'on imagine aisément le désastre si on ne les voyait dans la nuit ou dans la brume. Ils sont hauts, ronds et beaux, d'une fine élégance quand ils piquent du nez dans l'eau et c'est sur le bout de leur nez que sont construits les phares et les bâtiments où logeaient les gardiens et leur famille. L'automatisation des pinceaux lumineux a rendu les bâtiments inutiles, mais c'est ici que les Sentinelles du Saint-Laurent sont intervenues par une location du gouvernement canadien.

— Une des conditions du bail, c'était de garder la couleur, le rouge et le blanc. J'ai pas de misère avec ces couleurs-là. Je peux vivre avec ça.

Propriétaire des embarcations qui font la croisière, Pierre Bergeron est membre de la corporation qui loue et restaure les phares à l'usage des touristes. Cette année, on y arrête seulement pour le pique-nique, mais il y aura aussi de l'hébergement, et, sur l'île Rouge, en plein milieu du milieu du fleuve, du vent, de la brume, des vagues et du rêve, il y aura un camping, un vrai camping avec des vraies tentes pour les individus, les couples et les familles. En attendant, il y a toujours les oiseaux.

Pierre Bergeron conduit lui-même le Zodiac aujourd'hui, et Alain Boucher, le guide, raconte le relief de Charlevoix en tournant une par une les pages du très beau livre d'images posé sur la rive comme sur un lutrin.

— Oh ! un béluga !

Oui, un beau béluga, un peu loin, mais tout de même ! Il est là, au rendez-vous, plus blanc que le blanc des vagues qui fleurissent autour de lui, et il reparaît soudain en nous montrant, comme pour nous narguer, le beau bébé qui se colle à son flanc.

Mais voici Port-au-Persil, sa rade, son quai, sa chapelle, sa chute en glissade d'eau, ses coteaux cabossés où les chèvres de la ferme MacClaren s'en vont bêler sous les amélanchiers en fleurs.

Caché quelque part dans les bosquets, Virgile est en train d'écrire les *Géorgiques*, où l'on voit Jupiter faire l'éducation de l'humanité dans une profusion de « zoiseaux », de « zabeilles », de papillons et de « flefleurs ».

Justement, Jupiter est là-haut, rond et doré dans le bleu du ciel, et généreux de ses rayons qui coulent sur les rochers roses où des touristes abordent le nirvana en mâchouillant des sandwichs à la terrine de veau qu'ils mouillent d'une gorgée de blanc avant de se beurrer les papilles gustatives avec le moka de l'auberge des Falaises, aussi divin que Jupiter lui-même.

Assis au pied de la chute, un certain Beethoven compose une symphonie *Pastorale*.

Il y a toutes sortes de Charlevoix. Le Charlevoix de la montagne et le Charlevoix de la mer ; le Charlevoix des îles et le Charlevoix des baies ; le Charlevoix des caps et le Charlevoix des grèves ; le Charlevoix des humbles et le Charlevoix des millionnaires. Il faut de tout pour faire un Charlevoix aussi magnifique.

Carte postale

Chère maman,

Je ne puis pour l'instant te décrire tout ce que j'ai mangé de bon au Manoir des Érables, à Montmagny, car tu me tuerais. Mais je me dois de t'envoyer les plus cordiales salutations de Mme Cyr, de M. Buteau, de M. Lachance et de toutes les îles, qui doivent bien se souvenir un peu de toi puisqu'elles m'en parlent encore.

Le royaume du fjord

Serge Plante me le disait au retour de l'excursion à bord de la *Marie-Clarisse* :

— Ce qu'il y a d'extraordinaire quand on entre dans le Saguenay à partir de Tadoussac, c'est qu'il n'y a rien ! On voit les choses telles que Jacques Cartier et Samuel de Champlain les ont vues.

Cela est parfaitement vrai, sauf pour les modifications apportées d'une fois à l'autre par les feux de forêt ou les entreprises forestières. Mais la nature ne met jamais beaucoup de temps à reprendre ses droits et à reboiser un tant soit peu les massifs granitiques qui escortent le fjord jusqu'à Saint-Fulgence, en amont de la baie des Ha ! Ha !, ces culs-de-sac qu'on retrouve aussi dans le dictionnaire de M. Littré.

Nous sommes loin, évidemment, des majestueuses pinèdes qui faisaient envie aux « jobbeurs » de Charlevoix au siècle dernier, mais il y a tout de même beaucoup de vert dans le gris des caps et des falaises.

Au fait, voyons ce qu'en écrivent Cartier et Champlain :

« [...] y a trois ysles, au parmi dudict fleuve, le travers desquelles y a une ripvière, fort profonde et courante, qui est la ripvière et chemin du royaume et terre du SAGUENAY, ainsi que nous a été dict par nos hommes du pays de CANADA. Et est icelle ripvière entre haultes montagnes de pierre nue, sans y avoir que peu de terre, et non obstant, y croist grande quantité d'arbres, et de plusieurs sortes, qui croissent sus ladicte pierre nue comme sus bonne terre ; de sorte que nous y avons veu tel arbre, suffisant à master navire de trente thonneaulx, aussi vert qu'il soit possible [de veoir], lequel était sus ung rocq sans y avoir aucune saveur de terre. »

Voilà pour Cartier en 1535. Champlain maintenant :

« Le 11. jour de Juin je fus à quelque douze ou quinze lieuës dans le Saguenay, qui est une belle rivière, et a une profondeur incroyable. [...] Toute la terre que j'ay veu, ce ne sont que montaignes de rochers la pluspart couvertes de bois de sapins, cypréz, et boulles, terre fort malplaisante, où je n'ai point trouvé une lieuë de terre plaine tant d'un costé que d'autre. Il y a quelques montaignes de sable et isles en ladite riviere qui sont hautes elevees. En fin ce sont de vrais déserts inhabitables d'animaux et d'oyseaux. »

À quelques détails près et à soixante-huit ans d'intervalle, Cartier et Champlain ont décrit la même chose. Un détail de Champlain se vérifie toujours : l'absence d'oiseaux dans le fjord, alors qu'à sa confluence avec le fleuve il est sans cesse auréolé d'un tourbillon de mouettes, d'eiders, de kakawis et de sternes.

Les lieux ont si peu changé que notre guide à bord, Maryse Hovington, de Tadoussac, ne peut ajouter à ces récits que des détails relevant des sciences naturelles ou de l'histoire, comme au sujet de cette anse à la Barque, un peu en amont de Tadoussac. Elle fut ainsi nommée parce que les missionnaires venaient y amarrer leur embarcation à l'abri des courants trop forts, mais, justement pour la paix qu'on y trouve, aujourd'hui on l'appelle plutôt l'anse aux Fesses et Mme Hovington précise que ce n'est pas à cause des missionnaires.

Autre particularisme toponymique : le ruisseau du Caribou-qui-Pisse, tout près de Tadoussac, un filet d'eau vertical qui marque la falaise sans source connue à son sommet.

De filet en anse et de falaise en cap, on peut remonter le Saguenay sur quinze kilomètres avant de rencontrer un premier hameau, L'Anse-de-Roche, sur la rive gauche, mais, tout au long du trajet, les pointes, les anses et les falaises ont des histoires à raconter. Ici, une croix pour rappeler un échouement ; là, des cavernes où des Amérindiens ont trouvé refuge et, parfois, la mort ; ailleurs, des anneaux fixés dans le roc, témoins d'anciens mouillages.

En face de L'Anse-de-Roche se trouve justement le premier site d'exploitation forestière du « royaume », l'anse Saint-Étienne. Un site seulement, car le village de quelque cinq cents habitants a été rasé en 1900, vingt ans après sa construction autour de la première scierie. Rasé jusqu'au sable et jamais reconstruit. La forêt s'y est réinstallée comme si de rien n'était. Sans doute les vestiges sont-ils encore là sous les arbres, mais nous n'en verrons rien car les eaux noires de l'anse, comme celles de la baie Sainte-Marguerite, un peu plus loin, sont réservées aux blancs ébats des bélugas et la *Marie-Clarisse*, comme les autres bateaux, doit respecter l'intimité de leurs petits jeux.

Nous faisons demi-tour devant l'île Saint-Louis pour revenir à Tadoussac en croisant deux fois sous les lignes d'Hydro-Québec, qui, faisant route depuis Manicouagan vers tous les Saint-Quelque-Part, se balancent longuement au-dessus du fjord avant de repartir à cloche-pied, de pylône en pylône, à travers les gigantesques rocailles de la forêt laurentienne.

Voilà pour les visions et la prose d'aujourd'hui. Le Saguenay rentre à Tadoussac pour se perdre de nouveau dans le fleuve.

***

Quinze jours plus tard et vingt kilomètres plus haut, nous roulons vers L'Anse-Saint-Jean, que nous souhaitons toute douce pour le soleil et les touristes qui vont l'y contempler en attendant de monter à bord du *Charles-Napoléon-Robitaille*.

Et qui était ce Charles-Napoléon Robitaille ? Un brave homme qui, sentant son « cutter » s'enfoncer sous la glace du fjord, eut soudain cette oraison jaculatoire :

« Bonne Mère, sortez-moi d'ici et je vous pique une estatue dret-là sur le cap de votre choix. »

Cela se passait vers 1878 et la statue fut mise en place trois ans plus tard. C'est justement cette statue de la Bonne Mère que nous allons voir aujourd'hui en gagnant le pied du cap Trinité, où elle trône en tout temps, orante fidèle aux âmes perdues de ce royaume, et il y en a de plus enfoncées que celle de Charles-Napoléon Robitaille, n'est-ce pas, Claude ?

Même dans le groupe qui nous accompagne, il se trouve sans doute quelque Jonas qui a péché contre les autorités célestes, car le Saguenay est complètement démonté et il nous sera impossible de le remonter pour aller saluer Notre-Dame aujourd'hui. Ainsi nous apprend-elle le secret des vacances sur l'eau : il faut savoir rester à terre quand le vent décide d'embarquer sur l'eau avant nous.

Cela est particulièrement vrai sur le fjord, dont les hautes falaises canalisent le vent tout autant que l'eau, lui donnant ainsi une force et une malice qu'il n'aurait pas s'il pouvait se disperser parmi les épinettes et les bouleaux. La canalisation engendre l'accélération, et, quand le vent débouche sur le fleuve à Tadoussac, ce n'est plus du vent, c'est « le canon du Saguenay », ainsi nommé depuis que les navigateurs du Saint-Laurent tiennent un journal de bord.

En restant à terre le temps d'un grain, ils ont exploré toutes les baies, et nous serons bien avisés de faire comme eux, ne serait-ce que pour rencontrer Dominique Crépin, qui, au Centre d'interprétation de Baie-Éternité, nous dira tout de la genèse et de l'orogenèse du fjord, par-dessus les cris d'une ribambelle d'enfants qui couraillent en tous sens, trop heureux de n'être pas à l'école aujourd'hui. Étudiante en biologie et guide elle aussi, elle n'a pas négligé la géologie, qui est un des substrats de la vie, et elle en parle avec cette simplicité qui découle de la vraie science et qui ne se prive jamais de sourire.

Avec elle, la fosse du Saguenay s'affaisse devant vous il y a cent soixante-quinze millions d'années ; le glacier wisconsinien la recouvre il y a quatre-vingt mille ans ; il commence à en raboter les bords il y a quinze mille ans ; il fond en laissant une flaque du nom de mer Laflamme il y a dix mille ans, et le continent se relève lentement pour aujourd'hui offrir le fjord à ceux qui veulent bien aller jouer dehors avec les enfants, à l'abri du vent, au fond de cette baie encaissée entre les caps Éternité et Trinité.

Une anse encore et nous voici au village amérindien reconstitué pour le tournage de la téléserie *Shehaweh* et du film *Robe noire*, tout juste devant les caps à l'Ouest et à l'Est, deux sentinelles qui gardent l'entrée plus avant dans le fjord. Sur un premier plateau s'élève l'enceinte des maisons longues iroquoises. Plus bas, c'est l'« abitation » de Champlain à Québec, et, plus bas encore, le village montagnais où ma collaboratrice Janouk, montagnaise autant qu'écossaise, fond d'émotion devant une autre Montagnaise, Monique Tremblay, en robe de daim, qui joue du tambour pour les visiteurs et pour son bébé Anouka qu'elle porte sur son dos dans un sac en peau de lièvre.

Cette incursion dans le Saguenay est une dérogation à l'exploration du Saint-Laurent, mais c'est une dérogation permise en période de vacances, comme cette autre, prochaine et pire encore, qui nous emmènera jusqu'au nombril du Québec, le royaume des bleuets, le Lac-Saint-Jean.

Carte postale

Bonjour, Ducilea !

J'ai pensé à toi en voyant les enfants courir au bord de la baie Éternité, au bord de la soupe primordiale qui parle de biologie et d'écologie. J'ai eu beaucoup de plaisir à rencontrer des filles qui ont ton âge, ta formation, ton métier, ton sourire, et des reflets d'intelligence indispensables au plaisir des vacances dans ces paysages grandioses mais parfois austères.

Le nombril du Québec

Dieu créa le monde en six jours et se reposa le septième, cela est bien connu. Or, au moment du petit déjeuner le septième jour, Dieu voulut ajouter quelques bleuets à ses céréales, mais il en échappa un qui tomba sur la Terre et qui, dans sa chute, creusa le lac Saint-Jean, à peu près rond comme un bleuet, tout aussi bleu mais parfaitement plat, d'où son nom amérindien de « Piekouagami ». Et Dieu, trouvant cela très amusant, continua de travailler un petit peu et créa la tarte aux bleuets. C'était absolument délicieux et, pour le bonheur des hommes, Dieu confia la recette à Grand-Maman. À un kilomètre du zoo de Saint-Félicien, Grand-Maman continue de faire des tartes pour tous les passants qui en veulent.

— Êtes-vous une vraie grand-maman ?

— Vingt-quatre fois, monsieur.

— Et votre vrai nom, grand-maman ?

— Mon vrai nom est écrit sur toutes les serviettes de plage que les gens rapportent du Sud : Florida ! Florida Gobeil.

Sur ces entrefaites, Dieu le Fils vint voir ça de plus près et il construisit des paroisses partout autour du lac, en leur donnant, bien sûr, le nom de quelques-uns de ses saints : Gédéon, Bruno, Jérôme, Prime, Félicien, Méthode, Edmond, Michel, Monique, Henri et quelques autres. Il en garda deux pour sa mère : Alma et Saint-Cœur-de-Marie. Par respect pour les Amérindiens, il laissa aux rivières les noms que ceux-ci leur avaient donnés : Couchepaganiche, Métabetchouan, Ouiatchouan, Ashuapmushuan, Mistassini, Mistassibi, Péribonka et Saguenay.

Puis il remonta par le village de L'Ascension en apportant une tarte aux bleuets pour la sainte Trinité.

Alors, Pauline Martin fit une pause publicitaire à la télévision et demanda quelle était la différence entre le lac Saint-Jean et un bleuet.

Mario Tremblay répondit :

— P'tit Jésus d'plâtre ! Les deux sont bleus, les deux sont ronds, mais le lac est plate !

Pauline Martin reprit :

— Quelle est la différence entre le lac et une tarte aux bleuets ?

Cette fois, c'est le Saint-Esprit qui répondit :

— Il n'y a pas de différence !

***

Voilà le genre d'histoire qui peut vous passer par la tête si par bonheur vous vous retrouvez à bord de *La Frimousse*, qui se berce paresseusement sur le nombril du Québec.

La canicule écrase les villages et les villes, mais, sur le lac, le vent est bon et les histoires de Joseph Frigon sont encore meilleures car elles sont vraies. Il a élevé ses trois enfants sur le lac, à bord du *Gitan*. Un jour, ils ont vendu *Le Gitan* pour acheter *La Frimousse*. « Ils » parce que « Les Voiles du lac Saint-Jean » sont maintenant une entreprise familiale qui assure leur emploi d'été à Martin, Nancy et Patrick Frigon, vingt et un, seize et quatorze ans, tous trois copropriétaires.

C'est la seule entreprise qui offre une croisière à la voile sur le lac. Port d'attache : Roberval. En règle générale, Martin agit comme skipper, Nancy s'occupe des réservations et Patrick est de garde au quai. Mais n'importe lequel des trois peut faire l'une ou l'autre tâche. Aujourd'hui, c'est Joseph qui est à la barre, quand il ne la cède pas à ses passagers.

Joseph Frigon est bien « d'adon ». C'est pas lui qui « ferait simple en contant des chouennes comme un gigon ».

Né à Saint-Edmond-les-Plaines dans une famille de onze enfants, il se distingue en jouant dans l'eau plutôt que dans la forêt. Il construit des digues et des bateaux. Mais la forêt prend le dessus car les revenus sont dans les chantiers. D'un travail à l'autre, il se retrouve à Roberval pour le ministère des Transports et c'en est fini de la forêt. Désormais, c'est le lac.

Le Lac. Oui, le Lac avec une majuscule. Il faut avoir travaillé dans les bureaux des grandes villes avec des « Bleuets » pur-sang pour savoir ce qu'est le Lac : un grand trou d'eau brumeux qui palpite au milieu du pays et de la vie, et qui remonte aux yeux lorsqu'on s'ennuie, qu'on s'appuie sur sa machine à écrire et qu'on regarde les autres en ne voyant strictement rien. Le Lac comme un psychiatre qu'on va consulter pour un médicament non prévu par la Régie de l'assurance-maladie : une injection de *blueberry power*.

Louise, Marie-Christine, Paula, le voici, votre Lac.

Selon Joseph Frigon, « c'est la mer qu'on arrête quand on veut. Et quand on l'arrête, on a une bonne pensée pour ceux qui sont sur l'autre et qui ne peuvent pas l'arrêter ».

C'est la mer protégée de l'envahissement étranger par les barrages du Saguenay. C'est la mer aux vents doux avec des frissons de nuit entre des levers et des couchers de soleil absolument uniques. C'est la mer où l'on peut naviguer tous azimuts jour et nuit et même dormir dans la houle. Les trois quarts de ses rivages sont des grèves de sable fin, comme on en a dans les yeux en s'éveillant.

Oui, Louise, Marie-Christine et Paula, j'avais vu tout cela dans vos yeux et maintenant je le vois au large de Roberval, d'Alma et de Dolbeau, au milieu de tout et de rien, là où je vous ai si souvent surprises dans les voiles du lac Saint-Jean.

De retour à terre, il faut compléter le périmètre, ne serait-ce que pour dire bonjour à Jean-Paul Untel dans la monotonie de ces villages horizontaux qui n'arrivent pas à satisfaire les visionnaires quand ils referment leur cahier d'écolier.

Pour dire bonjour à Albert Perron dans sa fromagerie de Saint-Prime qui est également un économusée et qui envoie son précieux cheddar jusque sur les tables de Grande-Bretagne.

Pour dire bonjour à Georges Villeneuve aussi, Georges Villeneuve notaire, politicien, polémiste et écrivain dont *Les Portageurs de la Chamouchouane* racontent l'odyssée des siens à travers les épinettes, la neige et la misère.

Pour dire bonjour à dom Aurèle Thibault, père abbé des cisterciens de Mistassini, qui arriva à la Trappe sur le pouce à l'âge de vingt et un ans.

Pour dire bonjour à Louis Hémon, qu'il est encore très chic de mépriser et qui, d'une petite chambre de

Saint-Gédéon, décrivit le pays dans sa beauté simple et austère, avec un rêve d'amour dedans, exactement comme Alain-Fournier traita la Sologne, la même année, avec son *Grand Meaulnes*.

Et pour dire bonjour à toutes les Maria Chapdelaine de tous les Péribonka du monde qui sont enfermées dans leur petite maison avec un grand lac dans les yeux.

Carte postale

Allô, Rollande !

J'ai enfin vu Saint-Cœur-de-Marie. J'ai vu ses « cabourons » d'argile et de pelouse qui se succèdent comme des grains de chapelet et ses « plantations d'agneaux » au ventre bleu qui paissent dessus. De toi, je ne connais que la voix, mais je l'ai reconnue tout de suite car elle tire sa douceur des paysages de ton enfance, vert et bleu avec une indécision de gris.

Dix mille morts et des millions de survivants

— Maman, d'où je viens ?

Et maman d'expliquer patiemment le phénomène de l'ovulation, de l'érection, de la copulation, de l'éjaculation, des condoms percés, de la conception et de l'assurance-maladie.

— Tu as compris, mon chou ?

— Non, j'ai rien compris. Paul m'a dit qu'il venait de Trois-Rivières et moi je veux savoir d'où je viens, bon !

Voilà !

Des millions et des millions de Nord-Américains se posent la même question que le petit chou.

Quand j'étais dans la vingtaine, cela était une curiosité strictement personnelle et je prenais bien garde de ne pas achaler le gouvernement de mon pays avec cette question-là car je savais que la réponse était à la Grosse Île, un lieu ultrasecret où même le corridor aérien était interdit, à cause des expériences bactériologiques qu'on y menait. Puis l'endroit est devenu une station de quarantaine pour les animaux importés, les charolais et les limousins y remplaçant les virus et les microbes.

Aujourd'hui enfin, les touristes sont invités à remplacer les bœufs.

Mais voici que ce qui était une curiosité personnelle devient peu à peu une véritable obsession continentale. Des millions de Nord-Américains cherchent soudain la même chose : leurs origines. Et, pour les mêmes raisons, tous se retrouvent naufragés au même endroit par quarante-sept degrés deux minutes de latitude nord et soixante-dix degrés quarante minutes de longitude ouest, à la Grosse Île, au beau milieu du Saint-Laurent, en face de Berthier et de Montmagny.

On peut quasiment dire que la vocation de la Grosse Île est née sur le champ de bataille de Waterloo, le 18 juin 1815, quand Wellington et Blücher ont défait les armées de Napoléon. À travers toute l'Europe, les soldats devinrent des chômeurs et, ne trouvant pas de travail, ils partirent pour l'Amérique où, paraît-il, les terres se donnaient, alors qu'en Europe les terres se gardaient. Bientôt, la famine accéléra le processus de départ, un départ qui avait lieu dans des conditions hygiéniques abominables.

La malnutrition aidant, le choléra asiatique balaya l'Europe et les émigrants l'emportèrent avec eux. En 1831, soixante mille immigrants arrivèrent à Québec, une ville de trente-trois mille habitants. C'était déjà une calamité pour les habitants comme pour les arrivants ; avec le choléra en plus, on risquait la catastrophe. En 1832, le gouvernement décidait de créer un lieu de quarantaine à la Grosse Île pour protéger la population.

Pourquoi la Grosse Île ? Parce que, de toute urgence, il fallait trouver un endroit isolé, proche de Québec et au bord de l'unique voie d'accès de l'époque, le Saint-Laurent. Étant la plus grande des îles inhabitées de ce qu'on appelle maintenant l'archipel de l'île aux Grues, la Grosse Île répondait à ces trois conditions et mieux encore, car, au lieu d'être au bord de la route, elle était en plein dedans. Les navires devant déjà passer par là, il ne restait qu'à leur rendre l'arrêt obligatoire.

L'utilisation de la Grosse Île comme lieu de quarantaine fut un projet pilote pour toute l'Amérique et particulièrement pour Ellis Island, qui devait plus tard jouer le même rôle aux portes de New York.

L'île servit de poste de quarantaine de 1832 à 1937. Toute l'immigration européenne s'arrêtait là. On estime à quatre millions le nombre d'immigrants qui ont transité par ce poste avant de pouvoir s'installer en Amérique.

Quant au nombre des morts, il semble décroître à mesure qu'on en parle, mais pas pour des raisons scientifiques. Un document de 1984 parle de sept mille sépultures pour le seul été 1847, qui fut vraiment unique. Un autre document, de 1989, parle de dix-neuf mille morts, et si certains s'entendent aujourd'hui sur un chiffre approximatif de dix mille, la majorité s'entend plutôt pour ne plus les compter car les documents disponibles ne le permettent pas.

Tout comme il est impossible d'évaluer le nombre des cadavres jetés à la mer.

Ce qui est une certitude historique, c'est que les immigrants servaient de lest aux navires européens qui venaient chercher du bois à Québec et qu'ils traversaient l'Atlantique dans des conditions inimaginables aujourd'hui.

Une autre certitude historique, c'est qu'il y eut autant d'orphelins qu'il y eut de décès, ce qui donna lieu à des adoptions en masse ainsi qu'à des dispersions considérables. Pour des millions de Nord-Américains, une branche maîtresse de l'arbre généalogique passe par la Grosse Île et s'arrête là !

Sur le site, les Irlandais ont pris l'initiative du souvenir en érigeant une croix celtique en granit qui culmine à quarante-deux mètres et demi au-dessus des eaux du fleuve. Le monument fut dévoilé le 15 août 1909 devant une foule évaluée à neuf mille personnes par les journaux de l'époque. Si les pèlerinages sont aujourd'hui plus modestes, ils sont également plus étalés durant la belle saison.

Le dimanche 21 août 1994, ce n'est pas un bateau mais une flottille qui se dirigea vers l'île, apportant plusieurs centaines de visiteurs de Dublin, de New York, de Toronto et de Montréal.

Son Excellence Mary Robinson, présidente de la république d'Irlande, n'était pas à bord de la flottille. Elle arriva plutôt en hélicoptère. À la tête des autres pèlerins, elle vint simplement se recueillir au pied de la croix celtique et près de ses compatriotes enterrés dans les fosses communes.

Les Irlandais ne sont pas les seuls à avoir trouvé massivement la mort au bout de leur espoir. Quarante-deux nations sont représentées dans les cimetières, et le président de la Corporation pour la mise en valeur de la Grosse Île, M. Jean-Marie Dionne, aime à répéter que le site n'appartient à personne, sinon à l'histoire.

Tous les jours, les Croisières Lachance offrent des départs pour la Grosse Île à partir du quai de Berthier, et des milliers de touristes en profitent pour visiter le site de la plus grande migration humaine du siècle dernier.

La corporation qui veut mettre le site en valeur rêve grand et rêve beau. Certains des bâtiments seraient aménagés pour recevoir les visiteurs. Tout ce qui existe de registres serait mis sur ordinateur pour consultation interactive et l'on pourrait ainsi chercher la trace de ses ancêtres sur les lieux mêmes de la tragédie.

La visite de la Grosse Île n'a rien de morbide, mais elle a des moments pathétiques et l'émotion peut serrer la gorge à la vue de ces granges qu'on appelait des hôpitaux ou devant ces dépressions du sol dues à la décomposition des corps empilés sous une mince couche de terre.

Cette visite a également quelque chose d'apaisant. Dans ce paysage de terre et d'eau où les horizons ont les dimensions du rêve, dans ce paysage d'une sereine grandeur mais qui sait aussi se mettre en colère, dans ce paysage où les maisons, les « hôtels », les « hôpitaux » et le reste des bâtiments sont des témoins muets qui écoutent des jeunes de vingt ans raconter l'histoire du drame, nous voyons mieux le prix de notre vie et de notre mort, qui sont des maladies transmises sexuellement.

Peut-être que nous venons tous de la Grosse Île.

Carte postale

Mon vieux Pat,

Toi l'ornithologue consciencieux, ne manque pas le Musée des migrations, à Montmagny. Non seulement y raconte-t-on la saga de tes ancêtres, mais on y donne le pedigree complet des oiseaux migrateurs qui ont fait de l'archipel leur sanctuaire.

Et fais attention si tu vas sur l'île. Elle est couverte d'herbe à la puce. Vraiment, c'est un endroit maudit, mais un maudit bel endroit...

Journal de voyage

13 mai 1994

Au 15 décembre 1993, nous étions soixante-douze bélugas ayant trouvé des parents adoptifs. C'est du moins ce que raconte *Le Souffleur*, bulletin de liaison du Groupe de recherche et d'éducation sur le milieu marin (GREMM), dans son numéro d'hiver 1993-1994.

Pablo me l'avait dit, et, ce matin, Flippo me l'a confirmé. Sous le matricule D.L. 104, Flippo a été adoptée – oui, c'est une femelle, mais ils ne le sauront qu'à l'été, quand ils la verront avec un « bleuvet » collé à son flanc –, adoptée, oui, par les lecteurs et lectrices du magazine *Québec Science*. Sous le matricule D.L. 93, Pablo a été adopté – lui, c'est un mâle, comme moi, le copain de Flippo –, adopté, disais-je, par Real Investment Property and Management. Drôle de nom pour une famille adoptive, mais, du moment qu'elle fournit les cinq mille dollars exigés, le GREMM accepte l'adoption. Tant qu'à y être, je trouve que le GREMM a un drôle de nom lui aussi. On dirait le grondement de Virgule quand elle bougonne, rieuse ou fâchée.

Virgule, c'est ma blonde, et nous causions de tout cela ce matin en chassant le capelan devant Petite-Rivière-Saint-François. Petite-Rivière, c'est un long ruban de maisons au pied des montagnes de Charlevoix, avec un clocher piqué comme une épingle à peu près au milieu du ruban. Nous remontons rarement le fleuve plus haut que Petite-Rivière, car l'eau devient d'une chaleur inconfortable. Quand les bancs de capelans sont rendus vers les battures aux Loups Marins, toujours au montant, nous, nous virons de bord.

Nous virons de bord et nous les attendons car la marée baissante les ramène toujours.

En attendant, nous batifolons comme ce matin.

Virgule aussi a été adoptée. Par l'Association des étudiants de la faculté de médecine de l'université de Sherbrooke. L'adoption, c'est un petit jeu que jouent les hommes avec nous. Ils peuvent jouer tant qu'ils veulent, car ça ne nous dérange pas du tout. Il paraît même que ça nous aide. C'est vrai que les morts subites ont l'air moins fréquentes et nos bébés plus vigoureux, mais c'est une longue histoire qui est loin d'être finie.

Moi, par exemple, je suis né à la pointe de L'Islet, devant Saint-Louis-de-l'Isle-aux-Coudres. Si vous avez vu le film de Pierre Perrault – je pense que ça s'appelait *Pour la suite du monde* –, c'est exactement l'endroit où les gens de l'île montaient leur pêche. Ma mère m'a dit que sa mère lui avait dit que ça faisait bien longtemps qu'elles se faisaient prendre au même endroit, mais que c'était un si bon endroit pour avoir son bébé ; dans une belle place où l'on peut s'appuyer sur le fond pour s'arquer durant les contractions.

Maintenant, il n'y a plus de problème. Nous sommes protégés, adoptés même, et nous jouons beaucoup par là, loin au large du large.

Devant des caméras parfois.

14 mai 1994

Le capelan est bel et bien revenu avec le baissant.

Virgule et moi l'avons suivi jusqu'en bas de Tadoussac et retour à Petite-Rivière avec une douce plaisance. Nous nous laissons porter par le courant, puis, d'un coup de nageoire aussi doux qu'un coup de pinceau sur une aquarelle, nous rentrons dans l'intimité du fleuve comme vous, les hommes, vous extasiez en regardant le ciel et les étoiles dans un soir de velours.

Quand vous regardez.

Nous, nous regardons tout le temps et les poissons transitent ici comme vous dans le métro.

Les anguilles voyagent par bandes mais font semblant de voyager en solitaires et ne se regardent pas les unes les autres. Elles viennent d'aussi loin que les Grands Lacs, parfois, et se donnent des airs de grandes dames. Elles ne traînent pas de sac à main et c'est tout juste.

Le capelan, c'est comme des écoliers qui sortent de la polyvalente à l'heure de la cloche. Ils descendent le fleuve par bandes, rassurés de tout du moment qu'ils se touchent ou qu'ils s'entendent.

Pauvres eux !

Délicieux avec ça !

Et les crevettes, donc ! Ah ! les crevettes...

Les raies sont plus solitaires et flottent en demi-eau à la recherche de... Je ne sais pas ce qu'elles mangent et qui fait qu'elles goûtent si bon quand j'en avale une par hasard.

Toutes les quinze minutes, nous remontons pour une bouffée d'air et nous faisons « grrreeemmm » en replongeant dans les courants qui se superposent, l'un montant, l'autre descendant, selon une mécanique des fluides tellement plus subtile que les équations qui la définissent.

Les équations de la mer viennent du Soleil et de la Lune, des rivages et des îles, de la surface et des fonds, du vent et de nous qui nous ébattons dans un milieu dont vous voyez la mouvance sans pouvoir soupçonner l'aisance.

Tiens, nous passons devant le cap aux Oies et, d'éparpillés que nous étions, nous voici rassemblés pour le contourner dans l'étale de cinq heures. Un minéralier s'avance devers nous, le *Maplebranch*, je pense, et nous nous éparpillons encore, mais Virgule reste auprès de moi et nous collons à la rive vers l'anse au Sac, où des enfants nous regardent passer.

Ils sont beaux aussi, les enfants. Nous les voyons très bien quand nous jetons un coup d'œil à l'horizontale au-dessus du « fleurissement » de la vague en faisant « grrreeemmm »...

15 mai 1994

Haut-fond Morin, en face de Saint-Irénée.

Encore un bon endroit pour tourner en rond et attendre que les courants se décident d'un bord ou de l'autre.

L'an dernier, Esquille s'est fait prendre, harponnée par une étrave de transatlantique ici même, car ici les transatlantiques de fort tonnage attendent la marée comme nous. Nous avons la mauvaise habitude de tourner en rond autour d'eux pour inspecter leur coque. Nous sommes des mammifères curieux.

En connaissez-vous d'autres ?

Alors oui, nous nous sommes fait prendre l'an dernier.

Nous, c'est Esquille, et Esquille, c'est nous.

Nous gambadions tout autour de cette étrange affaire quand elle a fait « vrrroooouuummm » au lieu de faire « grrreeemmm » et tous nous nous sommes sauvés, à l'exception d'Esquille, qui s'est retrouvée dans le port de Montréal et à la une de *La Presse*.

C'était une bonne amie de Virgule, qui l'a bien pleurée.

Elle a été autopsiée à Saint-Hyacinthe, comme tous les bélugas morts qui s'échouent à portée d'homme. Par Pierre Béland, toujours, biologiste à l'Institut d'écotoxicologie, et comme toujours il a écrit dans son carnet : plomb, mercure, benzopyrène, BPC, mirex, DDT...

Esquille serait morte de ça si elle n'avait pas été harponnée. Nous mourons tous de ça, disent les biologistes.

Paraît-il que le poisson est poison quand il vient des Grands Lacs. Le problème, c'est que nous ne lui demandons pas d'où il vient avant de le manger.

Nous savons tout cela par Napou, un vrai savant. Il a fait un stage à l'Aquarium du Québec et on nous l'a ramené quand il a fait semblant d'être bien malade. Entretemps, il avait tout appris du langage des hommes.

Il sait lire aussi.

Nous sommes vraiment des animaux très intelligents. Certains prétendent même que nos ancêtres étaient des mammifères terrestres et qu'ils ont choisi la vie marine parce qu'elle était plus simple, plus facile. Flotter, nager, plonger, jouer, aimer, manger, tout cela sans effort et avec la volupté d'être, d'avoir et de faire. Ma mère en parlait, des fois, mais elle n'était pas certaine de ses origines.

16 mai 1994

Le *Famille-Dufour* passait et nous avions décidé de le suivre jusqu'à Tadoussac, mais, chemin faisant, Virgule a pensé à autre chose et nous sommes allés jouer tous les deux, seuls, dans la baie de Port-aux-Quilles. Nous avons fait des sauts verticaux, bedaine à bedaine, et nous avons tourné en rond en nous sautant l'un par-dessus l'autre. Virgule est très coquine à ces jeux-là et, au lieu de sauter, il lui arrive de plonger sous moi pour me surprendre.

Elle et la malice !

Nous avons tant joué que nous nous sommes fait prendre dans la vase par le jusant. Nous sommes restés échoués, immobiles comme des rochers, nous regardant dans les yeux avec notre éternel sourire.

— Et si la mer ne revenait pas ? a-t-elle demandé.

— Si la mer ne revient pas, il faudra parler à la Lune.

— Je pense que ce ne sera pas nécessaire.

— Avec elle, ce n'est jamais nécessaire.

Le montant revenu, un simple battement de nageoires nous a rendus à la mer, et là nous avons fait une course jusqu'à l'embouchure du Saguenay.

— Premier rendu au phare du haut-fond Prince !

Ce fut moi, mais nos amis n'étaient plus là. Ils étaient partis pour les parages de l'île Rouge, où nous sommes allés les rejoindre.

— D'où venez-vous ? Avez-vous vu Bélublanc ?

— Non. Nous nous sommes attardés à Port-aux-Quilles mais nous n'avons rien vu.

— Aqua-Bulle le cherche partout.

17 mai 1994

Nous sommes partis tous ensemble et nous avons suivi le courant jusqu'à la pointe des Monts.

Andrée Bélanger faisait du kayak sur la mer et nous l'avons encerclée pour lui faire peur. Bien loin d'avoir peur, elle a cessé de pagayer pour nous regarder. Alors, nous avons sauté un peu pour l'amuser et nous sommes revenus vers Tadoussac.

Un troupeau de rorquals nous précédait et il y avait plein de touristes en Zodiac pour les observer. Les rorquals sont très courus par les touristes, et les Zodiac sillonnent la mer en tous sens et par tous les temps, mais nous, nous gardons nos distances. C'est ainsi que nous avons rencontré Tryphon, le vieux cachalot solitaire qui vient tous les ans faire son numéro devant le quai de Tadoussac. Il nous a dit un bonjour très discret, un peu triste, et c'est devant Grandes-Bergeronnes que nous avons compris.

La goélette *Marie-Clarisse* revenait d'excursion et, chemin faisant, elle avait rencontré Bélublanc qui flottait sur le dos. Elle l'avait arrimé par la queue et, de loin, nous l'avons suivie en silence jusqu'à Tadoussac.

Robert Michaud, du GREMM, un autre biologiste, l'attendait sur le quai. Avec des copains, il l'a étendu sur une civière qu'ils ont glissée dans un camion stationné sur le quai.

Nous avons fait demi-tour en sachant déjà le reste : Saint-Hyacinthe, plomb, mercure, benzopyrène, BPC, mirex, DDT...

Virgule a encore pleuré, mais les filles pleurent tout le temps, et, en suivant la marée qui remontait, nous sommes allés nous consoler à la baie des Rochers tandis que le monde continue de nous adopter pour que les biologistes étudient notre cas...

Carte postale

Madame Nathalie,

Ne cherchez pas ; vous ne trouverez pas Bélublanc parmi les photos du fichier qui sert à notre identification au GREMM, car il ne s'est jamais laissé photographier, n'ayant pas voulu se faire adopter.

C'était un sauvage qui jouait en solitaire autour des récifs de l'île Blanche, là où vos bateaux ne pouvaient l'approcher.

Aqua-Bulle est inconsolable, mais Napou s'est mis à l'œuvre en disant qu'avec notre éternel sourire, « inconsolable » n'est pas « blanchon ».

Même si on le prend de travers

Où qu'on soit sur le Saint-Laurent, la plus grande tentation qu'il puisse offrir est celle de regarder de l'autre côté.

Et pourquoi s'en priver ?

Trois-Pistoles, par exemple, est une jolie municipalité, bien assise au bord de l'eau entre Rivière-du-Loup et Rimouski. Sans doute est-ce un endroit très agréable où demeurer quand on y a de la famille et un emploi. Autrement, la route 132 permet de passer outre et la très grande majorité des voyageurs ne demande pas la permission pour le faire.

Mais quand on se trouve à Tadoussac en fin d'après-midi et que, loin, là-bas, en face, Trois-Pistoles se met à rosir au soleil, la ville devient très, très aguichante.

À Trois-Pistoles et aux alentours, on pense à peu près la même chose de la Côte-Nord, mais pas forcément pour les mêmes raisons. Souvent parce que le mari ou l'ami travaille loin, là-bas, en face. Et parfois, presque aussi souvent, parce que la pêche est bien meilleure là-bas au Saguenay qu'ici dans le Témiscouata.

On peut dire la même chose à Rivière-du-Loup et à Matane, tout comme à Saint-Siméon, à Baie-Comeau ou à Godbout.

Toutes les raisons sont bonnes pour avoir envie de traverser, et, si elles ne suffisent pas, on n'a qu'à regarder loin, là-bas, en face, pour en trouver d'excellentes.

***

Nos ancêtres avaient la passion de remonter et de descendre le fleuve. Nous avons maintenant des routes pour faire cela, et si l'on va sur le fleuve aujourd'hui, le plus souvent ce n'est que pour le traverser.

Traverser le fleuve sur un pont, c'est bien beau, mais c'est encore plus beau quand il s'agit du pont d'un traversier. De préférence le dernier en haut, à moins d'être invité dans la timonerie auprès de MM. Dufour, Belzile et Harvey, ce qui est un privilège hautement apprécié.

C'est comme d'être invité sur la passerelle du Forum avec MM. Quenneville et Tremblay pour avoir le spectacle et le commentaire réunis.

À bord des traversiers, on reconnaît les touristes sur le pont car ils tiennent à regarder le Saint-Laurent. Les habitués, ceux qui voyagent pour leur travail, ont tendance à rester à l'intérieur auprès d'un journal ou d'une bière, à moins qu'ils n'en profitent pour piquer un somme, comme dans les confortables fauteuils du *Camille-Marcoux*, où il suffit de fermer les yeux pour se croire en avion.

On peut presque toujours se tromper en comptant les traversiers qui font la navette sur le fleuve, car l'un ou l'autre apparaît ou disparaît selon l'année ou la saison. Ceux de l'île aux Grues et de l'île Verte doivent abandonner leurs activités quand la glace envahit les battures à l'automne. Il en est de même pour l'*Héritage I*, qui relie Trois-Pistoles aux Escoumins. Le *Nordik Passeur*, qui relie Rivière-au-Renard à Port-Menier et à Havre-Saint-Pierre, est une nouveauté de l'été 1994 qui ne fera pas l'hiver non plus.

Et puis faut-il compter le bac qui relie Laval à l'île Bizard par la rivière des Prairies, cette petite branche du Saint-Laurent ? Un traversier unique, sans autre moteur que le courant de la rivière. Il le prend à quarante-cinq degrés, comme une voile fait avec le vent.

Si on l'accepte dans le groupe, ils sont onze à épargner de nombreux kilomètres aux automobilistes tout en leur offrant de fort agréables excursions. La rançon de leur commodité, c'est parfois l'attente, parfois le péage, et parfois le retard avec lequel ils accostent lorsque le temps qu'il fait leur fait perdre leur temps.

Le premier traversier sérieux est à Sorel. À moins qu'il ne soit à Saint-Ignace-de-Loyola. En trente minutes, il évite cent trente-sept kilomètres de route par Trois-Rivières. Il faut payer, mais l'air des îles est gratuit.

Au fait, trois traversiers seulement offrent le passage gratuitement : ceux de l'île aux Grues, de l'île aux Coudres et de Baie-Sainte-Catherine–Tadoussac. Ils sont gratuits parce qu'ils sont la route elle-même et que, sans eux, c'est l'isolement total dans un sens et dans l'autre.

Après Sorel, c'est la traverse Québec-Lévis, le meilleur endroit pour observer la capitale et pour épargner vingt-sept kilomètres en échangeant des baisers au clair de lune.

Sauf à l'île d'Orléans, de Québec en bas, il n'y a de ponts que sur les navires.

De Montmagny, avec le *Grue-des-Îles*, nous sommes déjà en croisière, et les croisières deviennent de plus en plus intéressantes à mesure que l'on descend le fleuve.

De Rivière-du-Loup à Saint-Siméon, il y a généralement des bélugas et trois cent cinquante et un kilomètres de moins qu'en passant par Québec. À l'île Verte, la proximité de la côte attire moins les mammifères marins que les mammifères montréalais. De Trois-Pistoles aux Escoumins, on efface quatre cent trente-huit kilomètres et, de même qu'à l'embouchure du Saguenay, il y a déjà des phoques et des baleines qui font du cirque. De Matane à Baie-Comeau et à Godbout, ce sont sept cent quatre-vingt-quatorze et huit cent quarante-huit kilomètres qui tombent à l'eau, mais déjà on ne les compte plus, comme on ne les compte plus de Rivière-au-Renard à Port-Menier et à Havre-Saint-Pierre, tout attentifs que nous sommes à la mer et à l'étalage de ses grands « sparages ».

Tout le long de cette merveille que l'on coupe et recoupe au gré de son temps et de ses besoins, il y a la parade des oiseaux, généralement basse sur l'eau et dominée par les canards. Noirs ou colverts à Sorel, ils deviennent eiders et kakawis vers l'estuaire, mais, là comme ailleurs, il y a abondance de minorités ethniques. À cause de la température de l'eau peut-être, ils sont généralement paisibles au lac Saint-Pierre, alors que dans le golfe ils réinventent le mouvement perpétuel avec leurs vols et leurs plongeons.

Il est à noter que les cormorans semblent de plus en plus sales et les sternes, de plus en plus élégantes.

Voilà pour le spectacle sur l'eau. À bord, c'est autre chose. Il s'y trouve presque toujours un autobus de touristes européens, allemands et français en majorité ; des camions-citernes qui approvisionnent la Côte-Nord aussi bien en lait qu'en mazout, et, à vrai dire, la gamme complète des camions imaginables, car, à l'exception du bois, du fer et de l'électricité, qui viennent précisément de là-bas, tout le reste doit y être transporté.

Mais le plus intéressant à bord, ce sont les membres de l'équipage, du capitaine au dernier matelot, toutes gens des pays du fleuve, Charlevoix, Côte-Nord, Bas-du-Fleuve, Gaspésie, toutes gens qui ont trouvé du travail chez eux et qui y tiennent comme à un rayon de soleil.

Cela se voit tellement bien dans les sourires. Ceux d'Andrée Bérubé, de Jean-François Belzile et d'Henri-Paul Harvey, par exemple.

Andrée Bérubé est allée jusqu'à Montréal pour obtenir un baccalauréat en comptabilité. Elle est revenue à Trois-Pistoles à la première occasion, et cette occasion, ce fut la réunion de quarante-huit actionnaires qui ont décidé, il y a trois ans, de maintenir « un lien établi depuis plus de soixante-quinze ans », la Compagnie de navigation des Basques. Entreprise privée, la compagnie est boudée par les deux gouvernements, qui favorisent plutôt les activités des navires de la Société des traversiers du Québec. L'*Héritage I* se remplit et la petite société locale fait ses frais à la barbe des fonctionnaires... à condition que ces derniers entretiennent leurs quais !

Jean-François Belzile est dans le même bateau. Incidemment, il en est le capitaine, et, après avoir voyagé aussi bien dans les Caraïbes que dans l'Arctique, c'est également à la Compagnie de navigation des Basques qu'il doit d'être revenu chez lui pour élever sa famille... en attendant qu'elle grandisse et qu'il l'emmène ailleurs, peut-être.

— Est-ce que nous ne nous sommes pas déjà rencontrés ?

— Non. Si vous restez à Montréal, vous auriez plutôt rencontré mon frère. Il est « psy » là-bas.

Une façon comme une autre de dire que les « psy » sont plus utiles à Montréal qu'à bord du traversier Trois-Pistoles–Les Escoumins !

Henri-Paul Harvey, lui, est de Saint-Siméon, dans Charlevoix. Ce n'est pas son père mais son oncle qui naviguait et qui lui a transmis le virus. Il a commencé en épluchant les patates à bord du *Fleurus*, de l'Anticosti Navigation Company, en 1950. Aujourd'hui, il est capitaine à bord du *Camille-Marcoux*, le plus gros des traversiers du Saint-Laurent, avec une capacité de six cents passagers et de cent vingt-six véhicules.

Le bac de l'île Bizard n'en prend que six.

De six à cent vingt-six, ne dirait-on pas qu'il y a une progression ?

Cette progression, on la voit très bien en suivant le Saint-Laurent sur la carte alors qu'il quitte le continent pour s'ouvrir à l'Atlantique.

On la voit encore mieux à bord, quand on le regarde rouler ses vagues et ses nuages entre des rives qui s'éloignent de plus en plus pour le laisser à lui-même, face à l'océan qui s'avance en lui contant des peurs.

Carte postale

Super Pierre,

Là, je t'attrape.

Toi l'ingénieur hydro-écolo dont le plaisir consiste à épingler les autres avec des mathématiques farfelues que tu te fais expliquer par ta fille, pourrais-tu résoudre ce problème ?

Si le bac de l'île Bizard prend six véhicules alors que, six cent trente-six kilomètres plus bas, le *Camille-Marcoux* en prend cent vingt-six à Matane, combien le *Trans-Saint-Laurent* peut-il en passer de Rivière-du-Loup à Saint-Siméon, à quatre cent trente-six kilomètres de Montréal ?

S.O.S.

Il n'y a pas de Saint-Laurent sans naufrages et on ne les voit nulle part ailleurs mieux qu'à Pointe-au-Père.

À Sainte-Anne-de-Beaupré, les ex-voto témoignent aussi de la frayeur de ceux qui ont survécu à l'horreur et qui ont promis d'être bons à l'avenir.

Ces ex-voto ne sont pas là pour rien car le Saint-Laurent est aussi méchant qu'il est beau.

Comment serait-il l'un sans l'autre ?

La marée rentre dans l'estuaire et dévalue les îles tandis que la brume cafouille dans l'immensité de ce méli-mélo.

Les navigateurs savent cela de tout temps, mais, de tout temps, ils guettent le vent et le voici qui arrive sans prévenir. Anabatique, catabatique, nordet, suroît, il a tellement de noms qu'il n'en a plus et qu'il « bardasse » d'un travers ou de l'autre au gré de son propre dictionnaire, sans parler de ses états d'âme.

Comme s'il en avait une !

Aujourd'hui peut-être, en cette belle journée où nous cueillons des fraises au bord de l'autoroute en attendant le navire qui nous emportera à Sept-Îles et à Port-Menier.

Et s'il en a une, que raconte-t-il aujourd'hui sur la pointe au Père devant l'immensité de son étendue et de sa solitude ?

Le père en question était Henri Nouvel, jésuite, qui aurait célébré la première messe ici même, dans ce parc gazonné où une simple croix noire domine des tables de pique-nique.

Il aurait fait cela à la suite d'un naufrage.

La messe, pas les tables de pique-nique.

Parlant de naufrage, voici que le *Storstad*, un charbonnier norvégien – allez donc savoir ce qu'un charbonnier norvégien faisait devant Pointe-au-Père le 24 mai 1914 par grand froid printanier alors que la Norvège elle-même devait avoir grand besoin de charbon –, voici donc que le *Storstad* s'égare lui aussi dans la nuit, la brume et le fleuve. Puis, mine de rien, il s'aligne sur l'*Empress of Ireland* qui passe par là. Il lui rentre dedans sans crier gare ni « Dram ! » et il lui enfonce la coque en plein milieu du fleuve, qui ne peut faire autrement que de rentrer dedans à son tour.

L'un se retire pendant que l'autre pénètre et c'est la catastrophe calamiteuse.

À bord, les candélabres sont chamboulés dans la pénombre tandis que les escaliers se relèvent vers des personnes qui essayent de les descendre ou de les monter sans savoir de quel bord s'en va l'océan, ni s'il monte ou s'il descend, et sans savoir que l'Armée du Salut joue son hymne de fin du monde pour le commencement d'icelui et le salut de quelque chose qui ressemble à une catastrophe car un navire de cent soixante-quatre mètres et demi de long s'envoie soudain en l'air parmi les airs de ladite armée tandis que le monde hurle, braille et prie à bord, la tête prise dans les hublots où les épaules ne passent pas et où les plongeurs les retrouveront, émus – les plongeurs –, quelques années plus tard.

Mille douze.

La brume fait qu'on ne voit rien et des cadavres se ramasseront sur le rivage comme du varech.

Ils seront pieusement recueillis et enterrés tout juste ici, sous quelques bouquets d'ancolies.

***

Mais sous le soleil merveilleux d'aujourd'hui, dans la paix retrouvée du fleuve, il me revient la complainte d'autrefois, la complainte que chantait ma mère et qui s'est perdue dans les temps comme les eaux s'en vont sans qu'on sache où.

Il faut se replacer en 1914, à Québec, et imaginer ma mère dans la dolce vita qu'elle s'apprête à quitter, dans la haute bourgeoisie de Québec, au 55 de la rue d'Auteuil.

Tout y est victorien.

De A à Z.

Le naufrage de l'*Empress of Ireland* est victorien lui aussi et une complainte monte des quais, sur l'air de *Minuit chrétien*, d'Adolphe Adam.

Un charbonnier a heurté le navire
Semant la mort par un grand trou béant
Les passagers debout dans leur cabine
Cherchaient partout leurs amis leurs parents

La complainte gagne les quartiers chics et cela se gazouille à la porte des familles nobles.

Au large de l'île au Sable, le naufrage du *Titanic* a déjà fait pleurer les cœurs en 1912.

Loin déjà, mais touchant quand même.

L'*Empress of Ireland*, c'est plus proche, plus émouvant.

— Maman, c'était comment, la fin ?

— Ah ! Que t'es tannant ! C'était, en chœur : « *Debout (hou) ! Debout (hou) ! L'*Empress *vient de couler.* »

C'est tout, comme l'a si bien dit ce William Clark, soutier à bord du *Titanic* et soutier ici même, qui déclara :

— Ça a été plus vite avec l'*Empress*. Elle s'est roulée comme un cochon dans le fossé.

Voici un musée, près du phare qui clignote en silence aujourd'hui.

Un musée pas loin de l'endroit où nous mangions des fraises. Un musée plein de hublots, de poignées de porte, de cloches, de jumelles, plein de ces choses que des gens patients, aimables et fous vont chercher l'une après l'autre dans les profondeurs du fleuve là-bas devant, tout simplement parce qu'un paquebot s'est englouti dans le Saint-Laurent un soir de mai avec mille quatre cent soixante-dix-sept passagers à bord.

— Mais la complainte, maman, elle avait plusieurs couplets ?

— Ah ! Jean, laisse-moi donc manger ma soupe !

Carte postale

Chérie,

Parmi les mille babioles ici exposées, voici une poignée de porte pour toi.

Facile à utiliser.

On la tourne, puis on entre ou on sort.

Du ou dans le décor.

Et les oiseaux !

On pourrait faire une longue histoire de la langue avec le mot « caye », venu de l'espagnol et accepté par M. Littré au siècle dernier, mais disparu des dictionnaires depuis. *Cayo* : récif.

C'est simple et c'est comme ça que Rosaire Plamondon appelle le rocher qui surgit devant lui à mesure que la mer se retire devant sa maison de Pointe-au-Père.

Tout le long du fleuve, les riverains parlent de « cayes », mais le dictionnaire n'en parle pas.

Pourtant, la douce fainéantise que les oiseaux exercent sur les « cayes » se pratique tout aussi bien dans les repaires de la fonction publique, mais sous d'autres mots, comme le *slacking*, un anglicisme nulle part plus à l'honneur qu'à l'Office de la langue française, peut-être.

Dans sa forme plus que dans son acception, sans doute.

Des « cayes », il y en a plein le fleuve, comme des caillots dans l'eau.

Toujours près du rivage, dans le sens du courant.

Une sorte de moyen terme entre la mer et le continent.

Dans le sens de la mer et du continent, pour mieux dire.

Les oiseaux le savent très bien et ne s'embarrassent pas de considérations linguistiques pour saluer ce beau matin de leur présence sur la « caye » devant nous présente.

Sept heures du matin.

Fin juin.

Rosaire Plamondon prend son café dehors, accoudé sur la clôture où la marée reviendra battre quand il rentrera cet après-midi.

— Des fois, avec le vent, la vague fait revoler l'eau dans les vitres du salon.

Gorgée de café.

— C'est beau, la mer, quand ça « splashe », mais c'est tellement beau de même aussi, quand elle s'en va, quand elle s'en retourne chez elle.

Gorgée de café.

— Elle revient tout le temps, la « môsusse ».

Silence et gorgée de café.

— C'est pour ça que je reste ici, pour la regarder faire.

Ici, c'est sa maison, construite tout au bord de la mer.

— Et les oiseaux ! Avez-vous vu les oiseaux ?

Oui, les oiseaux !

Ils sont partout, les oiseaux.

En l'air, sur l'eau et sur la « caye ».

Les ornithologues n'en finissent plus de changer leurs noms et les livres n'arrivent plus à les identifier quand ils chantournent un brin de vent pour offrir le dessous de l'aile au soleil ou à la lune, la lune qui, blanche d'amour et d'insomnie, s'endort dans la trame de leur vol.

Quand ils forment une crèche de poussins à la dérive dans les bords de mer, sous la gouverne de quelque vieille tante sans doute, et qu'ils bécotent sans arrêt toutes sortes d'affaires invisibles.

Non plus quand ils pointent du bec dans le cristallin de l'air, ce cristallin qu'ils fendent à grand déploiement de plumes, irisés de gouttelettes cueillies à la mer.

Les oiseaux sont partout.

Rares et partout.

Comme pour se faire apprécier davantage par le nouveau venu qui bée d'extase ridicule devant un vol, un arrêt, un regard, un nid.

Une théorie veut que les oiseaux soient les dernières reliques de monseigneur le dinosaure, ce dinosaure insignifiant qui fait bander la publicité médiatique, aussi grosse que lui, avec un cerveau idoine, mais en forme de petit pois.

Voici une théorie personnelle là-dessus. Sachez d'avance qu'elle est fausse. Mais tellement commode pour qui, comme moi, n'a pas la moindre explication.

Le grand boum catastrophique se produit en l'an -- %*#@ + 2 alors qu'une météorite grosse comme un ancien péché mortel vient heurter la boule sur laquelle nous ne vivons pas encore. Il en résulte une flamme jaune et verte tellement immense qu'elle fleurit toute la planète d'un seul coup.

Sauf que c'est la dernière fleur qui soit.

Les autres meurent.

L'herbe.

Les arbres aussi.

Un nuage de suie enveloppe la terre d'un turban de laine grise et la magie de la photosynthèse ne s'exerce plus.

Adieu, les herbivores.

Adieu, les mammifères terrestres.

L'avenir est dans la mer ou dans les airs.

D'où les poissons et les oiseaux.

Après, tout recommence, jusqu'à la fleur de la plus tendre amie, qui, par son origine, sent le poisson.

Les poissons, on ne les voit pas d'ici. Mais les oiseaux…

Oui, les oiseaux !

De gauche à droite sur la photo : Rosaire Plamondon, au premier plan, qu'on voit de dos seulement ; ensuite Eulalie, mouette rieuse ; Sophronie, mouette sérieuse ; Iphigénie, mouette mystérieuse ; Zeppelin, bihoreau à couronne noire ; Anselme, cormoran ; Elphège, grand héron bleu ; Gustave, bihoreau de même ; Ludwig, goéland, et Pépère, basset de passage qui traîne sa bedaine parmi l'or du lotier corniculé, au premier plan lui aussi, juste devant la clôture.

Tous – sauf Pépère – sont debout, inertes dans le milieu de leur être et de leur solitude, debout devant la mer, attendant qu'elle avance ou qu'elle se retire, debout devant le rien du tout qui se passe ou qui ne se passera pas.

Debout dans les vacances de ceux qui passent par là et qui, envieux, les regardent ne rien faire.

Rien qu'être.

Debout devant le soleil, la mer et le vent.

Anselme a, bien sûr, sa particularité. Il se baigne au soleil, les ailes étendues pour les faire sécher.

Absolument ridicule mais il le sait et il aime ça comme ça.

Debout parmi les autres comme un qui se distingue pour être distinguable à défaut d'être distingué.

Les autres, niaiseux ou tolérants, le laissent faire même si, sur la « caye », ailes ouvertes, il prend la place de cinq oiseaux.

Les quatre autres sont en vol.

Des sternes qui feront le voyage de Pointe-au-Père aux Escoumins, juste pour voir de quoi le temps a l'air, en haut comme à ras d'eau.

Tiens, en voici, une crèche !

Mme Abigail Moignac a hérité de la marmaille aujourd'hui et elle la promène dans les remous du jusant, la tête haute au-dessus des varechs tandis que piaille la couvée communautaire du printemps.

Mme Abigail inspecte l'horizon mais son cou surplombe difficilement la vague qui s'approche. Alors, elle l'étire encore un peu et se rassure en voyant qu'elle ne voit rien. La marmaille se berce, pique du bec, se vante d'une limace ou d'une crevette, fait un demi-tour de parade et revient devant Mme Abigail pour un geste d'approbation.

Un phoque vient de sauter, qui passait par là.

Et le grand héron bleu s'élance comme sur la planche d'un dessinateur. Le cou entre les ailes, la queue étendue droite entre les pattes, droites elles aussi, il s'en va hors de toute analyse, de toute description, libre de la délicatesse de ce matin qui n'en finit plus d'être beau, frais et transparent comme un matin bien fait.

Oui, les oiseaux !

Comme un restant de symphonie primordiale, avec leurs airs froufroutants, leurs revendications nasillardes ou leurs soli de cantatrice énamourée, cachée dans un bosquet.

Mais voici que le vent se lève, emportant avec lui les oiseaux qui respectaient la pause du matin.

Il les disperse dans les secrets du fleuve, anses, marécages, récifs, nuages, îles lointaines, et Rosaire Plamondon, ayant terminé son café, laisse sa tasse sur la dernière marche du petit escalier de sa petite maison, revient à sa voiture, sourit d'un grand sourire amical, gratuit, en plein soleil, gratuit lui aussi, et s'en va travailler comme les oiseaux.

Mais où est passé Pépère ?

Carte postale

Salut, Michel !

Juste un mot pour te dire que les oiseaux, c'est toi et moi.

Vers le golfe

•

À seize heures aujourd'hui, nous quitterons Rimouski pour entrer dans le golfe à bord du *Nordik Express*.

Nous avons passé la nuit au motel Marcel, à Rimouski-Est, très exactement à trois mètres de la mer, et, par ce beau matin où le soleil s'est levé derrière nous pour faire resplendir le décor, une flopée de canetons, sous vigilante escorte, fourragent dans la soupe originelle au pied du mur de soutènement.

Plus loin, des grues tournaillent au-dessus d'un quai en réparation, sur lequel des niveleuses avancent et reculent dans un ronron lointain, mais qui se rend jusqu'à nous.

Plus loin encore, on voit dépasser un tout petit bout du quai d'où nous partirons.

Au-delà, c'est l'île Saint-Barnabé et, plus particulièrement, l'« anse au Snau », où apparaissent soudain des fantômes, celui de Toussaint Cartier et ceux des naufragés de *La Macrée*.

L'île Saint-Barnabé n'est rien d'autre qu'une longue anguille échouée dans la vase au large de Rimouski, comme pour protéger la ville des fureurs de la mer. À marée basse, une batture plus ou moins recommandable la relie à la terre ferme, créant des anses de part et d'autre. Celle du nord-est est l'« anse au Snau », ainsi nommée par suite de l'épouvantable naufrage d'un senau en 1753, ou en 1755. Les historiens se cherchent un peu quant à l'année.

Quant au « senau », on peut s'éviter une visite au dictionnaire en sachant qu'il s'agit d'un ancien navire à deux mâts.

C'était en novembre. *La Macrée*, frégate du roi, transportait des troupes pour renforcer la garnison de Québec, mais elle essuya une violente tempête dans le golfe et fit naufrage à l'île du Gros Mécatina. Jean Taché, de Québec, y avait un établissement de pêche et, obligeant comme deux, il permit aux survivants de rentrer à Québec à bord d'un de ses navires, un senau dont les historiens ne sont pas non plus certains du nom, le *Saint-Esprit* probablement.

Voici donc un nouveau départ, mais voici également une nouvelle tempête et, en pleine nuit, le senau s'empale sur les rochers de l'anse qui portera désormais son nom.

Or, sur l'île Saint-Barnabé vivait un ermite du nom de Toussaint Cartier. Une source, la « fontaine de l'Ermite », rappelle encore son séjour sur l'île. Au petit matin, il sortit de sa cabane pour chercher du bois et il entendit des râles sur la grève. Vite, il alluma un grand feu pour appeler les Rimouskois à l'aide et, entre-temps, il dirigea les naufragés vers sa cabane. Hélas ! Ils ne pouvaient y entrer tous en même temps et plusieurs moururent de froid avant et après l'arrivée des secours.

Par très beau temps en été, ou même en hiver, il est difficile d'imaginer les abominables tempêtes de neige qui paralysent toute circulation, non seulement entre les villes, mais également à l'intérieur même de ces villes. Il faut les voir pour le croire.

Sur le Saint-Laurent, c'est pire. À voir la majesté de son calme, on ne peut imaginer la malignité de ses colères. Surtout pas aujourd'hui où, rouge et blanc dans la gloire du matin, le *Nordik Express* sort soudainement de l'horizon pour se diriger vers le quai de Rimouski-Est. Il rentre de son voyage hebdomadaire sur la basse Côte-Nord et, le temps d'un déchargement et d'un chargement, il repartira dès cet après-midi.

Nous serons à bord pendant près de vingt-quatre heures pour descendre vers le golfe. Combien d'autres fantômes surgiront devant nous ?

***

Parce que la petite Sprint doit nous suivre jusqu'à Anticosti, et jusqu'à Havre-Saint-Pierre ensuite, elle doit être sur le quai dès dix heures.

— C'est bien tôt pour un départ à seize heures. Est-ce qu'on ne pourrait pas la garder un peu plus longtemps ?

— Oh non ! monsieur. Tenez, regardez. Le plan est fait. Votre auto, elle s'en va là ! J'ai besoin de tous mes morceaux pour faire le chargement.

Effectivement, l'agitation est grande sur le quai. Au point qu'un agent de la circulation en interdit l'accès aux badauds. Des camions n'ont pas fini d'emporter les marchandises déchargées que d'autres viennent faire des livraisons. Qu'il s'agisse de véhicules, de matériaux de construction, d'appareils ménagers, de denrées ou de je ne sais quoi, tout est conteneurisé.

Tout.

Dans sa tourelle à bord du bateau, le grutier joue aux blocs sous la direction du maître de quai, et tout ce branle-bas, qui ressemble au désordre le plus complet, est réglé jusqu'à la perfection du détail.

On passerait des heures à s'en émerveiller.

***

Surprise à notre retour, au milieu de l'après-midi ! Le quai est presque vide de tout ce qui l'encombrait. Les conteneurs non utilisés ont été rangés contre le hangar. Les autres sont sagement empilés sur le grand pont de la poupe. C'est un jeu sans doute aussi savant que le cube de Rubick que de placer chaque bloc de façon qu'il ne soit pas déplacé avant sa livraison dans l'un des treize points d'arrêt du bateau entre Rimouski et Blanc-Sablon. Tout en tenant compte, évidemment, qu'il faudra aussi prendre des livraisons à chaque arrêt. Pour l'instant, nous pouffons de rire en apercevant sur le dessus de la pile, tout au fond, la petite Sprint qui nous regarde de haut dans son conteneur ajouré.

Le quai est vide mais pas désert pour autant, et l'agitation n'est pas moindre, car une certaine nouvelle s'est répandue dans tout Rimouski : l'éperlan est arrivé ! Ils sont peut-être une soixantaine, dans les accoutrements les plus divers pour affronter la pluie qui menace. D'aucuns sont même venus avec leur chaise de parterre pour attendre plus confortablement le petit éclair blanc qui frétille au bout de la ligne. Et, effectivement, il y a parfois un petit éclair blanc. Ce n'est pas encore l'orage électrique, mais tout de même...

C'est ainsi que, par temps plutôt gris, nous partons vers la grande aventure du golfe.

Grande aventure ?

On nous a demandé si nous avions le mal de mer. Ni Janouk ni moi n'avons pu répondre à cette question.

— Nous verrons bien.

Or, nous ne pouvons toujours pas répondre. De Rimouski à Sept-Îles et de Sept-Îles à Port-Menier, pendant vingt heures, nous avons navigué dans un calme plus plat que plat.

Il faut lire des livres ou fréquenter des musées pour croire aux naufrages sur le Saint-Laurent !

De plus, malgré une attention de tous les instants, avec relâche pour la nuit, nous n'avons pas vu le plus petit rorqual ni le moindre béluga, pas même de la ouate de phoque. Heureusement qu'il y a de beaux albums illustrés sur les mammifères marins !

***

Le phare de Pointe-au-Père est le premier à nous saluer, mais il y en aura tellement d'autres que nous ne les compterons pas. D'ailleurs, nous nous éloignons rapidement des côtes et, pour les passagers que cela intéresse, les phares ne peuvent désormais servir que de bornes kilométriques pour dire : « Vous passez devant Métis », « Vous passez devant Matane », etc.

Le *Nordik Express* est le bateau de Relais Nordik inc., qui se présente comme « le service de desserte maritime de la moyenne et basse Côte-Nord ». En d'autres mots, bien que maritime, c'est la seule route entre Rimouski et Blanc-Sablon, et cela est tellement vrai que son itinéraire est tracé sur la carte routière du Québec. On y voit très bien la grande arabesque dans l'estuaire, de Rimouski à Sept-Îles ; une autre, plus modeste, et dans le golfe, de Sept-Îles à Port-Menier, ainsi qu'une troisième, plus modeste encore, de Port-Menier à Havre-Saint-Pierre. Ensuite, cela devient une guirlande qui s'accroche à la côte à Baie-Johan-Beetz, Natashquan, Kegaska, La Romaine, Harrington Harbour, Tête-à-la-Baleine, La Tabatière, Saint-Augustin, Vieux-Fort et Blanc-Sablon.

Parti de Rimouski le mardi après-midi, le *Nordik Express* y revient le mardi matin suivant, et cela jusqu'aux premiers jours de janvier. Il entre alors aux chantiers des Méchins pour se refaire une santé, une beauté, et il reprend la mer dès que les glaces ont libéré son parcours.

C'est un bateau conçu pour le transport des marchandises mais il peut accommoder une trentaine de passagers dans ses cabines et dans sa salle à manger. On y trouve également une cantine avec distributeurs automatiques. Cela suffit aux besoins ordinaires car ce ne sont pas tous les passagers qui veulent se prévaloir de ces services. Les habitués ont souvent leurs provisions et dorment dans les fauteuils.

À moins qu'ils n'aient la curiosité de descendre dans l'estuaire ou qu'ils ne doivent se rendre à Anticosti, peu de passagers montent à bord à Rimouski. À Sept-Îles, ils sont déjà plus nombreux car, pour les habitants de la basse Côte-Nord, Sept-Îles offre tous les services qui ne se trouvent pas à Havre-Saint-Pierre.

Quand arrive l'été, c'est autre chose. Les touristes montent nombreux à Sept-Îles, pour voir Anticosti, et plus nombreux encore à Havre-Saint-Pierre, pour voir la basse Côte-Nord. D'un endroit à l'autre, le capitaine annonce la durée de l'escale et les touristes descendent à terre pour visiter les villages ou se répandre dans le paysage. Mais le tourisme ne se fait pas à sens unique. Il y a aussi les Montagnais qui s'en vont en pèlerinage à Sainte-Anne-de-Beaupré et, en cette occasion, il peut y avoir plus de deux cents passagers à bord. C'est dans le très coloré.

L'aller et retour de Havre-Saint-Pierre à Blanc-Sablon est une merveille de quatre jours. Quand il fait beau. Particulièrement remarquable est le Petit Rigolet, un chenal de vingt-deux kilomètres, large de cent vingt-cinq à deux cent cinquante mètres, parfaitement rectiligne, et qui, entre les îles et la côte, va de La Tabatière à Saint-Augustin, sous des falaises de vingt-cinq à soixante-quinze mètres.

Un célèbre fantôme passait par là en 1823 : le grand ornithologue John James Audubon. Quelques-uns de ses commentaires :

« Le lieu le plus sauvage que j'aie jamais vu. »

« Une côte inhospitalière, froide et brumeuse, mais combien grandiose. »

« Merveille ! Merveille ! Extraordinaire pays ! »

***

Ce ne sont pas les moteurs, c'est la curiosité qui nous empêche de dormir et qui nous ramène sur le pont.

— Les lumières là-bas, Port-Cartier probablement.

Retour à la cabine pour somnoler un peu, jusqu'à ce que le ralentissement des moteurs nous fasse sursauter.

— Sept-Îles !

Trois heures trente. Il pleut. Le grutier est dans sa tourelle. Le jeu de blocs recommence et durera jusqu'à huit heures dans le deuxième plus grand port du Canada, un port en eau profonde, qui a l'avantage d'être ouvert l'année durant et qui s'est équipé en conséquence au cours des récentes années.

Nouveau retour à la cabine.

***

Arrivés sous la pluie, nous repartons sous la pluie, et, comme il n'y a rien à voir, c'est l'occasion de causer et de mieux faire connaissance avec l'équipage.

Il n'y aura pas de surprise. Qui nous dirige ainsi dans le golfe, aussi sûrement qu'en autobus sur l'autoroute ? Des gens du fleuve. Le capitaine Maurice Harvey est de l'île aux Coudres. Son second, Jean-Charles Leblanc, est de Kamouraska. Le commissaire de bord, Frédéric

Monger, est de Beauport mais son père était de la Côte-Nord et, le long du Petit Rigolet, il y a tout un archipel qui porte ce nom. Il en est ainsi jusqu'à Cindy Arsenault, qui nous offre le café avec son bel accent acadien de Havre-Saint-Pierre.

Bien que dans la force de l'âge, le capitaine et son second sont déjà de vieux loups de mer. Maurice Harvey a notamment bourlingué dans l'Arctique. Jean-Charles Leblanc s'en est tenu au Saint-Laurent, mais il l'a fait de long en large, et par tous les temps.

— Il le connaît par cœur, dit Maurice Harvey.

Ce qui ne l'empêche pas de faire continuellement le tour des instruments de la timonerie et de regarder dehors, même si on ne voit pas grand-chose. Il évalue la vague, peut-être, bien longue et bien douce.

Ces hommes sont de la vieille école. Ils ont appris leur métier à bord des navires, souvent avec un parent ou avec un voisin, et ils sont ensuite allés chercher des diplômes à l'Institut de marine de Rimouski, quand il a été créé. Il en est ainsi pour tous les marins que nous avons rencontrés sur le fleuve. Les diplômes sont un passe-temps hivernal pour les marins de la vieille école.

Et puis, bien sûr, tous les marins déplorent l'anéantissement progressif de la marine. Dès que leurs navires sortent des eaux intérieures, les armateurs canadiens leur font battre pavillon étranger afin d'aller chercher une main-d'œuvre qui ne coûte rien. L'exemple vient de haut : Paul Martin, ministre des Finances du Canada, associé à la Canada Steamship Lines. Confinés dans les eaux intérieures, les marins canadiens s'ennuient comme des chauffeurs de taxi confinés dans leur quartier. Surtout que l'ouvrage est rare.

Leur fleuve est une voie de navigation internationale, mais pas pour eux.

S'il est un marin du Saint-Laurent qui n'aborde pas ce sujet-là, nous ne l'avons pas rencontré.

***

Durant la conversation, la pluie a cessé. Des bancs de brume s'effilochent de loin en loin et, dans la grande solitude du golfe, c'est comme si le *Nordik Express* incarnait à lui seul toute la réalité du Québec et de son fleuve : un pays coupé en deux et sans cesse recousu par une navette maritime ; une route pour des localités qui n'en ont pas ; un lien entre les ports les plus importants et le plus humble mouillage ; un lieu d'échange entre des populations diverses ; un pendule entre la déception et l'émerveillement.

Le soleil perce timidement les nuages.

Carte postale

Ah ! Monic !

Tu as toujours les yeux ronds quand je te raconte des choses. Si tu les voyais toi-même, peut-être que les yeux te sortiraient de la tête.

C'est tellement grand, tellement puissant, tellement beau, même sous la pluie.

C'est toi, Anticosti, là-bas ?

Autour d'Anticosti, la mer impitoyable a effacé tout ce que l'histoire peut avoir écrit dans nos livres.

Que Jacques Cartier soit passé ici un 15 août et l'ait appelée île de l'Assomption pour la fête du jour, cela n'apparaît pas ailleurs que dans le vocable de la paroisse.

Que Louis Jolliet en ait été le premier seigneur en récompense de sa découverte du Mississippi, rien n'est moins évident depuis que William Phips, revenu bredouille de Québec, a démoli ses établissements en 1690, laissant le temps se charger des ruines.

Que Louis Gamache, matelot, marchand, gredin et sorcier du siècle dernier, ait survécu à sa propre légende, les insulaires l'ont reconnu en lui érigeant un monument funéraire au fond de sa baie en 1990.

D'Henri Menier, il subsiste le nom du seul village de l'île, celui devant lequel se présente maintenant le *Nordik Express*.

La mer est belle et douce aujourd'hui. Pour tout dire, elle est menteuse, car, à l'encontre de tous les récits, c'est dans la paix la plus totale qu'elle nous présente cette immense galette de dolomie, de calcaire, d'épinettes, de chevreuils, de saumons, de poussière et de fleurs ancrée quelque part entre le golfe et l'estuaire, quelque part entre la Gaspésie et la Minganie, quelque part entre le soleil et la brume, quelque part entre le calme et la tempête, quelque part entre le rêve et le cauchemar, quelque part dans la porte du Saint-Laurent, qu'on y entre ou qu'on en sorte.

Les maisons de Port-Menier sont alignées au garde-à-vous sur la berge et cela fait partie du règlement établi par le fondateur du village. Seule nous en sépare l'interminable jetée, la plus longue du Canada, qui fait le lien entre l'île et la mer, entre le songe et la réalité.

Le songe, c'est la splendeur et la richesse des lieux. La réalité, c'est leur inaccessibilité.

« À part la poussière, rien n'est gratuit sur l'île », dit et répète Jose Schell. Elle est photographe comme son compagnon Louis Gagnon, biologiste. Les deux publient, en septembre 1994, un guide illustré d'Anticosti aux éditions Broquet. Voilà cinq ans qu'ils habitent là-bas et ils savent de quoi ils parlent.

Rien n'est gratuit car rien n'est facilement accessible, physiquement ou financièrement. C'est sans doute ce qui garde à l'île sa beauté farouche.

La mer peut être terrible quand elle le veut, et les côtes sont généralement inhospitalières. Les épaves et les phares font partie intégrante du décor pour rappeler que l'île est toujours « le cimetière du golfe ».

Quant aux routes, elles vont de passables à impossibles. Deux autobus transportant des visiteurs de Port-Menier à la chute Vauréal, une distance de cent soixante-deux kilomètres, ont fait une crevaison le même jour, ce qui n'a rien de plus étonnant qu'une averse passagère. En automobile, on ne s'aventure guère hors de Port-Menier ; la camionnette est de rigueur. Avec deux roues de secours.

— Il est donc inutile de s'y rendre ?

Pas du tout. Depuis 1974, l'île est la propriété du gouvernement québécois, qui, par bail, a concédé quatre territoires à des pourvoiries. Le reste, la plus grande partie, est exploité par la Société des entreprises de plein air du Québec (SEPAQ), et tout ce beau monde fait dans la publicité pour nous inviter à rentabiliser leurs investissements. Les forfaits offerts peuvent inclure le voyage en avion jusqu'à Port-Menier et, parfois, jusqu'à la pourvoirie. Il suffit de payer et de partir. C'est cher ?

— Assez cher, merci.

— C'est bien ?

— Très bien.

Le groupe Desgagnés assure la liaison maritime avec Sept-Îles et Havre-Saint-Pierre deux fois la semaine par son *Nordik Express* qui, partant de Rimouski, fait le transport en commun de la basse Côte-Nord jusqu'à Blanc-Sablon.

Avec le *Nordik Passeur*, le même groupe offre aux deux jours, depuis l'été 1994, un service de traversier qui relie la Gaspésie à l'île et à la Côte-Nord par Rivière-au-Renard, Port-Menier, Havre-Saint-Pierre et Baie-Johan-Beetz. Côté fric, cela n'est pas donné non plus, mais c'est une initiative qui ouvre le golfe et l'île aux voyageurs. Automobilistes, campeurs, autostoppeurs et insulaires l'ont accueillie avec enthousiasme.

Enfin, il y a Confortair, à Havre-Saint-Pierre, qui assure la liaison aérienne sur demande.

Mais, une fois rendu, il faut s'en remettre aux équipements de l'île. Ils sont rares ou coûteux, à moins qu'on ne se contente d'une visite aux alentours de Port-Menier, qui, en soi, est déjà une halte très séduisante avec ses chevreuils semi-apprivoisés qui folâtrent dans les champs et autour des maisons du village.

Un beau matin à l'aube, ils étaient treize sur le terrain de base-ball municipal. Nous nous sommes arrêtés pour leur dire que, arbitre et frappeur compris, il y avait deux joueurs de trop sur le champ. Dédaigneux, ils ont abandonné la partie.

Faut-il vraiment rappeler que le chevreuil est la mascotte d'Anticosti ? Il y a été introduit par Henri Menier, un magnat français du chocolat que l'on représente habillé comme un employé des chemins de fer et qui acheta l'île en 1895 pour en faire une sorte de paradis saint-simonien où le boss assurerait le bonheur de ses employés au même titre que le sien mais à des degrés divers.

Le rêve s'interrompit avec la mort du boss en 1913, mais les prairies pentues de la baie Sainte-Claire, où il établit sa première utopie, sont d'une douceur qui s'oppose à la furie des vents et de la mer, d'une douceur qui rappelle l'époque où le beurre de l'île faisait rêver les dîneurs du Château Frontenac à Québec.

Il n'en reste que des cimetières où les chevreuils vont paissant comme dans un jardin biblique, à côté du phare et de l'épave *Calou*, qui évoquent d'autres réalités.

Anticosti, c'est aussi les voyages et les recherches des botanistes Marie-Victorin, Rolland-Germain et Louis-Marie, qui visitèrent l'île de 1917 à 1927, toujours quelques semaines à la fois et toujours en été, pour nous laisser des travaux scientifiques incontournables dont le plus beau fleuron est la *Flore de l'Anticosti-Minganie*.

C'est bien comme Marie-Victorin a pu le faire qu'il faudrait visiter Anticosti. En barque pour saluer les caps, fouiller les baies, échouer dans les estuaires et remonter à pied les rivières. Les botanistes Pierre Dansereau et Pierre Morisset ont reconstitué ce *Pèlerinage anticostien* pour Radio-Québec et pour nous en 1987.

Le livre et le film restent des façons de faire le voyage. Autrement, il faut y aller, et seulement les pêcheurs de saumons et les chasseurs de chevreuils y trouvent vraiment leur compte, car les équipements actuels n'offrent des accès que par l'intérieur de l'île et c'est d'une effroyable monotonie. D'ouest en est, la route aligne deux cent cinquante kilomètres de cailloux et de poussière à travers une éternité d'épinettes.

Le Sahara lui-même a au moins des horizons.

Les millionnaires qui fréquentent les fosses à saumons de la rivière Jupiter ne s'y laissent pas prendre. Quand leur avion privé atterrit sur la piste de Port-Menier, un hélicoptère les y cueille pour les déposer au camp Jupiter 12 et ainsi leur éviter la route.

Le long de cette artère principale, des routes secondaires coupent à droite ou à gauche pour conduire à un lac, à une chute, à un canyon, à un cap, à une baie. Après l'ennui mortel des épinettes, ces visions fugitives semblent toujours merveilleuses.

Merveilleuses aussi les strates géologiques farcies de fossiles siluriens.

Les randonnées pédestres sont non seulement recommandées, elles sont souvent l'unique et agréable moyen de visiter des sites intéressants ; toutefois, il faut faire de longues approches en camionnette.

Heureusement, il y a au moins un chevreuil qui sort de la coulisse à tous les quelques détours pour dire bonjour au monde.

Anticosti reste largement inexplorée dans sa géographie, sa géologie, sa biologie. Elle accueille déjà pêcheurs et chasseurs ; de nouveaux moyens de transport en facilitent l'accès au touriste moyen, mais elle pourrait également être en voie de devenir le paradis de la recherche subventionnée.

Dans cette île qui marie la démesure de la mer et celle de la forêt, les insulaires sont aussi taciturnes que chaleureux, pour autant qu'on puisse être les deux à la fois. Depuis l'abandon des coupes forestières et les restrictions apportées à la pêche en mer, le visiteur est leur seule industrie et ils sont environ trois cents à nous « espérer ».

Carte postale

Anticosti est faite de rêves et de vies multiples.

Nous y habitons depuis plus d'un siècle. Selon les périodes, de quelques dizaines seulement jusqu'à près d'un millier. De gens de mer, nous sommes devenus gens de forêt : bûcherons, trappeurs, guides, constructeurs. Un rythme de vie lié aux saisons, un territoire immense pour respirer et une communauté à visage humain nous retiennent ici.

Anticosti est faite d'amours multiples.

Puissiez-vous partager un peu de cet amour et de cet attachement à notre île.

Les Anticostiens

Les fées du brouillard

Par définition, les monolithes sont quelque chose de lourd. Pas dans l'archipel de Mingan, où ils sont aussi légers que les demoiselles dont ils portent le nom en géologie.

Dans la brume fugace de ce jour, ces demoiselles semblent vouloir nous offrir la danse des voiles peut-être, mais, pudiques au dernier moment, elles se figent sur place à l'approche des visiteurs et jouent plutôt les sentinelles du passé.

Le *Marie-Victorin* s'avance dans cette brume avec les seuls yeux de son radar. Les nôtres flottent dans la ouate qui se reforme à mesure qu'on la déchire.

On ne voit pas grand-chose.

On devine parfois de mystérieuses apparitions, mais la vedette de Parcs Canada continue son chemin comme si elle voyait tout et elle accoste bientôt au débarcadère de l'île du Fantôme, une île qui ne porta jamais son nom aussi bien qu'aujourd'hui.

Grâce à Paul Paquet et à Louis Richard, cette visite sera une petite fête malgré la brume et la pluie. Tellement que, jaloux, le soleil viendra jeter un coup d'œil momentané sur ces gens qui s'amusent sans lui.

« Cayen », Louis Richard est né avec un accent circonflexe en forme de moustache au-dessus de la lèvre supérieure et un autre sur le *a* de son patronyme. Garde-côte et pilote de la vedette, il est resté à bord durant la visite de l'île du Fantôme, mais ensuite, à l'île Quarry, il s'est repris, si l'on peut dire. Il nous a d'abord laissés partir et c'est au centre de l'île qu'il est venu nous rejoindre, portant quelques documents.

D'abord, il venait de découvrir l'origine de son surnom, « Pêchu », dans le livre de Georges Gauthier Larouche, *Origine et formation de la toponymie de l'archipel de Mingan*, que j'avais laissé traîner près de son tableau de bord.

— C'est à cause de mon grand-pére « Exavier » Cormier, qui allait pêcher dans le barachôis près de l'île à Bouchârd. C'était le pére de ma mére ; alôrs, ils ont donné le surnom à mon pére, « Exavier » Richârd. C'est pour çâ qu'ils m'appellent « Pêchu » môi aussi !

Puis il avait à la main une coupure de presse dont il tenait à me lire un extrait :

— « Un journâliste n'est jâmais autant en alerte que lorsqu'il a un crayon à la main. Prenez gârde de ne rien lui dire ou de ne lui dire que des choses qu'il sait déjâ. »

» Vous avez bien entendu, monsieur ? Moi, je suis conseiller municipâl de Hâvre-Saint-Pierre et j'ai âppris çâ il y â quelques ânnées. Alors, écoutez bien ce que je vâs vous dire.

» Quand vous ferez une dôcumentâtion sur Mingan, je veux qu'il n'y ait rien de négâtif. C'est le conseiller municipâl qui vous pârle. Parce que s'il y â quelque chose de négâtif, môi, Louis Richârd, je monte en ville et je vous...

Il regarde ailleurs et se retient pour ne pas rire.

— Vous me tordez le cou !

— C'est çâ. Vous m'âvez bien compris.

— Monsieur Richard, je n'ai pas besoin de vos menaces pour dire que l'archipel de Mingan est un endroit merveilleux !

— C'est çâ. Dîtes-le !

Et de un !

L'autre est aussi drôle en son genre. Étudiant permanent et professeur à l'école secondaire de Havre-Saint-Pierre, Paul Paquet déambule dans les îles en citant Edmond Rostand tout aussi bien que Marie-Victorin :

« La Côte-Nord est fille du feu, c'est le rebord granitique du noyau continental américain, tandis que la Minganie est fille de l'eau : les îles qui la composent sont des fragments, des miettes d'une terre ancienne lentement déposée au fond des mers siluriennes. »

Cela est dit très simplement entre deux explications sur la dolomie, qui contient du magnésium, et le calcaire qui n'en contient pas, et une digression sur les huit cents surnoms qu'il a recensés au havre et qu'il n'ose publier, par crainte de poursuites judiciaires. Il raconte aussi que la radio amateur lui permet plaisamment de communiquer avec l'Inde, avec l'Australie, et même avec son frère, de l'autre côté de la rue. Il parle plusieurs langues, dont le russe, mais ce ne sera pas nécessaire aujourd'hui car il parle également un excellent français.

***

La signature de Parcs Canada est toujours une garantie de qualité quand il s'agit d'aménager un territoire, mais ici, disons que les responsables ont fait comme le site lui-même et qu'ils se sont surpassés.

L'archipel est divisé en deux secteurs, celui de l'Ouest étant particulièrement propice à l'observation des oiseaux et celui de l'Est, à l'observation de la flore et des formations géologiques. De la Longue Pointe de Mingan ou de Havre-Saint-Pierre, c'est l'entreprise privée qui assure le transport dans les îles.

Les guides sont une gracieuseté de Parcs Canada et leur bonne humeur est une gracieuseté d'eux-mêmes.

Dans le secteur ouest, ces guides montent à bord des vedettes pour accompagner les visiteurs ; dans le secteur est, ils sont en place sur certaines îles pour les accueillir.

Seulement quelques îles sont inaccessibles parce que déclarées sanctuaires d'oiseaux par le Service canadien de la faune. Les vedettes offrent des randonnées organisées avec Parcs Canada, mais rien n'empêche quiconque de prendre un taxi pour une île déserte... à certaines conditions. Parcs Canada demande en effet à ses visiteurs d'observer volontairement quelques restrictions pour la protection du milieu et, à moins d'abus flagrants, ces restrictions n'entraînent pas de surveillance.

Sept terrains de camping sont aménagés sur six des quarante îles ou îlots et, sur ce point, la surveillance se resserre. Comme tout cela est gratuit, sauf le transport, Parcs Canada demande aux visiteurs de venir s'informer et de prendre le permis requis, afin de pouvoir exercer une surveillance adéquate et, surtout, afin de venir en aide à ceux dont l'absence se prolongerait au-delà du séjour prévu et pour des raisons autres que celles désirées.

***

Tous les sites du Saint-Laurent veulent évidemment leur quota de visiteurs et il y a de tout pour tous partout, mais, avec le *Nordik Passeur* qui relie Rivière-au-Renard à Port-Menier et à Havre-Saint-Pierre, c'est le premier été où l'on peut descendre aussi loin en Gaspésie et sur la Côte-Nord en un même voyage, boucler la boucle aussi avant dans le golfe et s'épivarder comme ça aux portes de l'Atlantique.

Mais que se passe-t-il sur ces îles éparpillées dans la mer ?

Voici qu'un anthropomorphisme débridé vient étiqueter la pierre et peupler l'archipel. Ici, c'est la « bonne femme de Niapiskau ». Le « bonhomme » la guette, pas loin de l'« Écossais MacStone » qui la zieute lui aussi. Voici qu'un « Japonais » nous surveille, bon yen, et que « Richard Nixon » lui-même vient encore s'insérer là où personne ne veut de lui, parmi cent autres figurines qui défient l'imagination aussi bien que le temps.

Voici que l'on oublie les enfants, la maman, l'auto, Master Card, Visa et *La Presse*.

Au bord des sentiers fleurissent la campanule, la drosera, la dryade et la sarracénie, toutes plantes assez coquines, merci, qui vous disent :

« Une fleur est un végétal qui fait l'amour au vu et au su de tous.

« Nous sommes le bonheur total.

« C'est pour ça qu'on nous cueille. »

Dans l'archipel de Mingan, il est interdit de cueillir les fleurs mais on ne se lasse pas de les regarder.

Les écouter, c'est pire.

Carte postale

Ma belle Marioushka,

Tu m'en voudras sans doute de le dire aux autres mais je pense à toi devant ces demoiselles qui font face aux intempéries avec une dignité de pierre. Crois-moi, quelques-unes te ressemblent et…

De ces îles lointaines
Je lorgne ta bedaine.
Dis, grossit-elle encore ?
Thomas va-t-il éclore ?
Toi, fille de la mer,
Quand donc seras-tu mère ?

L'École de la Mer

Cette école ne ferme pas durant les vacances.

Elle ouvre, plutôt. Car l'École de la Mer, c'est les vacances.

Des jeunes s'y retrouvent au bord de l'eau par goût, par curiosité, par fascination, et se mettent à étudier autre chose que l'idiologie et la psychobolie.

À étudier quoi ?

La meilleure partie de leur pays : la mer.

Joséphine vient d'East Angus, Ti-Pit vient de Palmarolle, Arthur vient de Fermont et Jacques est un peu gêné parce qu'il vient bêtement de Montréal.

Ils viennent d'un peu partout pour regarder d'un peu plus près la meilleure partie de leur pays et aucun n'oserait pourtant dire : « Je viens du Saint-Laurent. »

Sans le savoir, ils en viennent tous.

Et c'est pour ça qu'ils y retournent.

***

Marie-Claude Roy avait huit ans et demeurait à Québec quand ses parents l'emmenèrent en Gaspésie pour la première fois. Elle se souvient qu'elle est restée rivée aux fenêtres de la voiture, hypnotisée par le tout nouveau spectacle de la mer.

— À mon retour, j'ai dit que, quand je serais grande, je travaillerais avec la mer.

Plus précisément, elle est directrice de l'École de la Mer, le pied-à-terre des Jeunes Explorateurs à Grandes-Bergeronnes.

Les « Jeunes Explos », Léo Brassard les a fondés en 1955 et une quantité de sommités scientifiques québécoises ont connu leurs premiers émerveillements avec eux, mais pas Marie-Claude Roy. Elle a connu les « Jeunes Explos » il y a quatre ans seulement, quand le groupe s'est mis à chercher un(e) directeur(trice). Elle ne voulait rien de ça jusqu'au moment où elle s'est dit : « J'ai voulu ça toute ma vie ! »

Maintenant, elle est (e) (trice).

***

La Côte-Nord est prisonnière de la mer d'où qu'on l'aborde.

Il n'y aura jamais de beaux endroits pour construire des prisons, mais ce n'est pas une mince ironie du destin qu'un Premier ministre issu de la côte ait décidé d'y établir un pénitencier. À Port-Cartier en plus, ville ainsi nommée en l'honneur du découvreur du Saint-Laurent, celui-là même qui, il y a quatre cent soixante ans, soit le 12 août 1534, appelait cette côte « la terre que Dieu donna à Cayn ».

Incidemment, le 10 août de l'année suivante, il visitait une baie de cette côte, qu'il nommait Saint-Laurent. Des erreurs de traducteurs et de copistes étendirent bientôt le nom de cette baie au golfe et à tout le fleuve.

Oui, la Côte-Nord est un pays dur. Le relief y est abrupt ou plat sans intermédiaire autre que la mer, cette violente douceur étendue au-delà des contrastes.

Les gens, comme les plateaux, peuvent s'étendre à perte d'horizon parmi les épinettes, où les routes s'allongent tellement que chaque village semble être le bout du monde.

Mais la réalité a une autre face : la mer.

La mer, la mer toujours recommencée !
Ô récompense après une pensée
Qu'un long regard sur le calme des dieux !

Bonjour, Paul Valéry, et merci d'être là !

Georges Huard, capitaine de pêche né à Franquelin, a fait ses études à Baie-Comeau. Il a travaillé à Montréal et à Windsor, dans les Cantons-de-l'Est, avant de revenir sur la côte, où il a réussi à s'embarquer dans un bateau de pêche.

— Le fleuve nous fait de quoi, nous autres. À Windsor, quand je me levais et que je regardais dehors, oh !

» Oui, oh !

» Quand on le voit pas, le fleuve, ça marche pas.

C'est curieux que Georges Huard parle de « fleuve ». Sur la côte, on dit surtout « la mer ». Le golfe, il n'en est à peu près jamais question. Les riverains ont autre chose à discuter que la ligne imaginaire tracée par les géographes entre Pointe-des-Monts et Cap-Chat. Baie, fleuve ou golfe, cela n'intéresse personne. De l'autre côté des rochers et des tourbières, c'est tout simplement la mer.

***

Léo Brassard est caché quelque part dans la rue Principale à Grandes-Bergeronnes, un village situé à mi-chemin entre Tadoussac et Les Escoumins, sur la rive gauche du Saint-Laurent. « Caché » est un bien grand mot, car, si on trouve son numéro de téléphone, il répond de sa voix calme, mais le téléphone ne rend pas l'aimable sourire qui étire sa fine moustache. Et il accepte de rencontrer un journaliste uniquement parce que ses commanditaires lui en ont donné l'ordre, tout comme ses amis lui ont ordonné, en 1990, d'accepter un prix scientifique décerné par l'Association canadienne-française pour l'avancement des sciences.

Le lendemain, il est au rendez-vous à l'École de la Mer, qu'il a fondée pour « ses » Jeunes Explorateurs, mais, avant même de donner la main, il la tendra vers l'estuaire de la rivière pour dire :

— Regardez comme la vue est belle.

Belle en effet, car, en réalité, on assiste ici au baiser de deux estuaires, celui de la rivière des Grandes Bergeronnes et celui du Saint-Laurent. Il n'y a rien de discret dans ces effusions qui s'échangent paisiblement au creux d'une vallée bien encaissée.

— Bonjour !

Léo Brassard est un illustre inconnu. Inconnu parce qu'il n'a jamais créé de courants d'air. Illustre parce qu'il a fondé les Jeunes Explorateurs, en 1955 ; parce qu'il a fondé *Le Jeune Naturaliste*, en 1950, une revue devenue *Le Jeune Scientifique* entre les mains de l'ACFAS, en 1962, et devenue *Québec Science* avec l'université du Québec, en 1969.

On sait bien ce qu'est *Québec Science* aujourd'hui, mais on sait moins ce que sont devenus les Jeunes Explorateurs.

À cent kilomètres en face, sur la rive droite, plus précisément à Sainte-Flavie, Jean Boulva le sait très bien car il est passé par là. Jean Boulva est directeur régional des sciences pour Pêches et Océans Canada à l'Institut Maurice-Lamontagne.

Il est responsable de tous ceux qui évaluent l'évolution de la vie dans notre entonnoir national. Il est allé à l'école de la mer et il en a fait sa vie lui aussi.

Comme un poisson.

Sauf que, jeunes explorateurs ou non, nous sommes tous des poissons dans cette mer immense – comme ce Gérard Drainville, évêque d'Amos, en Abitibi, ou ce Hughes Massicotte, doyen universitaire à Fort George, en Colombie-Britannique –, dans cette mer immense que nous connaissons à peine et qui, venue du centre du continent, coule de notre passé vers notre avenir comme le sang dans nos veines.

À Grandes-Bergeronnes, l'École de la Mer apprend la biologie du pays à Joséphine, à Ti-Pit, à Arthur et à Jacques, et les institutions les plus diverses, comme le Rotary Montréal–Ville-Marie ou Hydro-Québec, se penchent sur leur curiosité, sur leurs intérêts, avec des gros sous, parce que l'École de la Mer, au bord du Saint-Laurent, c'est l'école du pays lui-même.

Carte postale

Chère Lise,

Tu te penses bien loin de la mer et de moi. Tu penses que je ne pense pas à toi.

Pourtant, je te vois partout avec ces enfants dont tu diriges la curiosité vers des pays de connaissances.

Tu es le chant de la mer et je l'entends toujours, quand son fracas me casse les oreilles ou même lorsqu'elle palpite à peine.

Généreux comme le fleuve

Célébrons le poisson cependant qu'il en reste.
Et célébrons aussi « les ceuzes » qui le pêchent.

Quand on descend la route de bordure du Saint-Laurent entre Saint-Roch-des-Aulnaies et Notre-Dame-du-Portage, la couleur des battures varie du vert au gris selon que la route s'élève au-dessus de la mer ou revient la frôler avec un rien d'amour.

Le plaisir des vacances, c'est aussi le plaisir de regarder travailler les autres, et on ne s'ennuie pas du tout avec Richard Anctil et René Bossé sur la batture de Kamouraska, où leur pêche à anguilles prend majestueusement l'allure d'un corridor d'entrée menant au temple sous-marin du dieu Poséidon.

Poséidon, c'était un « smart » qui fut déifié par les Grecs parce qu'il avait découvert et apprivoisé la somptuosité de la mer, reconnaissant qu'il en était le fils.

Tout autant à Chio qu'à Kamouraska. Sauf qu'il n'était pas suffisamment intelligent pour tendre des pêches longues comme des avenues géométriques vers les mystères de la mer.

Il pêchait avec un trident, comme dans les dictionnaires et les albums.

Ici, Richard Anctil et René Bossé pêchent comme on peut le faire quand on a regardé la mer monter et descendre, beau temps mauvais temps, de bonne et de mauvaise humeur elle et nous, avec une claque de vent qui ne vous donne pas envie de sortir mais qui vous dit en même temps :

« Si tu sors pas, mon petit maudit, tu vas rester chez vous à tout jamais. »

Ils pêchent avec un tracteur qui avance dans la vase jusqu'au bout de l'impossible. Ils plantent des harts un peu plus hautes que la plus haute marée, et ils les plantent aussi bas que le plus bas regard.

Déguenillés, dépenaillés, ils étendent cette monstruosité à force de bras et de bonne humeur. Leurs grands et savants travaux sont magnifiques de précision dans cette désolation tout aussi magnifique qui tient compte de la force des vents, de la qualité des sols, des humeurs de la marée et des prix du marché en Europe.

Tout est affaire de lune et de marée. Il y a deux semaines, on voyait seulement quelques perches retenues par leur hauban et perdues dans la marée haute. Le temps a passé mais les hommes n'ont pas chômé. Aujourd'hui, la marée est à son plus bas et nos deux pêcheurs sont rendus au fin bout de la vase, là-bas, là-bas. On dirait quasiment qu'ils ont l'intention de traverser à La Malbaie, juste en face, avec leur tracteur, leur charrette et leur gréement. Ce n'est pas long que nous décidons d'enfiler nos bottes et d'aller les rejoindre.

Coquettes et coquines, les églantines en fleur se pâment sur la grève et s'imaginent que nous nous déplaçons pour elles.

— Dommage, les belles. Ce sera pour un autre tantôt.

Il y aurait beaucoup à dire sur la vase toujours un peu cochonne qui « scouische » et qui « splosche » sous nos pieds. L'anguille aussi pourrait en parler, car, de Saint-Roch-des-Aulnaies jusqu'à Notre-Dame-du-Portage, elle aime s'y cacher à marée basse quand elle ne se laisse pas bêtement prendre dans les coffres de Richard Anctil, de Gertrude Madore ou de quelque autre malfaisant qui fait dans la géométrie paysagiste intertidale.

Oui, Gertrude Madore, la première Québécoise à détenir un permis de pêche professionnelle et qui nous attend au « Site de l'interprétation de l'anguille », au-dessus de la mer et des mêmes églantines que tantôt.

L'anguille n'est pas encore au rendez-vous, mais l'esturgeon est passé par là. Il s'est fait prendre au passage et Richard Anctil lui a délicatement fait l'affaire dans son fumoir. Goûter à cela, c'est communier avec la tendresse immense de Kamouraska, églantines comprises.

***

Plus bas sur la côte, voici L'Isle-Verte.

Au quai, un crabier transborde sa récolte à pleins paniers dans un camion, mais il est interdit de photographier ou de parler. Probablement qu'il était également interdit de pêcher. Du Saint-Laurent où on en mange peu – misère ! –, le crabe s'envolera tantôt vers le Japon.

Au bord de la route, il y a tout de même le *Marché des 3 fumoirs* de Bertrand Charron, une halte odorante et exquise. Bertrand Charron a ses pêches près de l'île en question et le hareng qu'il en rapporte est enfilé sur des baguettes jusqu'à ce qu'il en devienne brillant comme de l'or et qu'il se mange comme un cadeau de l'été.

On met ça dans sa voiture avec un pot de bigorneaux en saumure et on peut aller jusqu'au bout du monde si on le mange en cachette, à bord des bateaux ou des « zautos ». Car, en public, c'est moins chic qu'un « hamburmac », mais c'est la mer, la mer d'entre nous et la mer d'à côté, la mer et ses gens du plus près qui donnent frustement un baiser amical au passager faisant chemin.

***

On ne s'ennuie pas non plus avec Georges Huard, de Godbout, grand pêcheur de pétoncles quand il s'en trouve et que Pêches et Océans Canada n'est pas trop tatillon.

Godbout, c'est de l'autre côté de l'estuaire, entre Baie-Comeau et Pointe-des-Monts.

Le quai est de bonne humeur ce matin, à cause du *Rémy-Martin*, un bateau et non une bouteille. L'embarcation s'en va bientôt à la pêche aux pétoncles et il reste des radoubs auxquels les hommes s'affairent à bord.

— C'est qui, le boss ?

— C'est moi !

Il a trente et un ans, est vigoureux et entreprenant. Il a loué ce bateau et c'est déjà une petite moyenne entreprise qui affronte la mer, ses ressources, le marché, le fonctionnarisme avec une certaine bonne humeur.

— J'essaie d'avoir un permis pour pêcher les pétoncles et emmener des visiteurs en même temps. Il paraît que le tourisme est notre industrie première. La pêche a quasiment l'air d'être notre industrie dernière. Peut-être que si on mariait les deux...

Ses gens travaillent et lui voit à tout avec un sourire aussi large que l'estuaire. Des coquilles de pétoncles sont empilées à côté du gréement sur le quai.

— Prenez-en si vous en voulez. Nous autres, notre défaut, sur la côte, c'est qu'on est d'une générosité maudite.

Cette générosité, il ne s'en déferait pas pour tout l'amour du monde, cet amour qu'il peut aussi venir partager avec sa famille et le chien César, le dimanche seulement, sur le quai qui affronte la mer, son antagoniste quotidienne et sa meilleure amie.

Il paraît que les crabes s'en vont au Japon et que les pétoncles s'en vont à Boston. L'industrie de la mer, elle, reste ici pour un temps encore, le temps qu'on l'aime assez, peut-être, et qu'on aille y voir plus souvent.

Carte postale

Bonjour, Yolande !

Faut-il être assez cochon ?

J'étais sur le quai de Godbout et je me souvenais du parfum des coquilles Saint-Jacques que tu nous as servies il y a bien longtemps lors d'un joyeux souper.

Je me suis empressé d'en manger le jour même.

Cette fois, le parfum venait de la mer, mais, mêlé au souvenir, il ne gâchait rien.

Mort à L'Anse-à-Beaufils

Nous venions de quitter l'Institut Maurice-Lamontagne, à Sainte-Flavie, et nous nous dirigions vaguement vers deux jours de vacances quelque part car tout était fermé sauf le Saint-Laurent.

Pour préciser ce « quelque part », Janouk suggéra un arrêt au centre d'art Marcel-Gagnon. Elle n'eut aucune difficulté à convaincre les autres voyageurs car l'artiste a peuplé la grève d'une centaine de personnages. Les uns, dressés parmi les pierres et le varech à marée basse, parmi les eiders à marée haute, sont figés dans le béton et l'éternité d'eux-mêmes. Les autres, taillés dans le bois et montés sur des radeaux, s'enveloppent de guenilles que la mer et le vent agitent sur fond d'infini.

Le spectacle est hallucinant.

— Je crois que cela s'intitule « Nous venons de la mer et nous retournons tous à la mer », dit Janouk.

Trop belle erreur. Cela s'intitule *Le Grand Rassemblement* et c'est peut-être pour fuir davantage le grand rassemblement des multiples festivals d'été que nous avons décidé de rouler jusqu'à L'Anse-à-Beaufils, village voisin de Percé.

Si on veut voir la mer tout en ayant peur de s'ennuyer de la rue Laurier ou de la rue Saint-Denis, il faut aller à Percé. Si on ne s'ennuie jamais de ces deux rues-là, ni de la rue Saint-Jean ni de la rue Cartier, on peut aller voir la mer n'importe où en Gaspésie, comme à L'Anse-à-Beaufils, par exemple.

J'aime la symbolique de ce toponyme coincé par hasard entre un rocher percé et un cap d'espoir.

Oui, la toponymie a de ces trouvailles en Gaspésie. Comme cette avancée que des naufragés appelèrent « pointe à la Faim » et qui devint « Famé Point » avant de devenir enfin la pointe à la Renommée ! Quant au cap d'Espoir, il a retrouvé son nom originel seulement après avoir été, pendant un temps, « Cape Despair », son antonyme en anglais.

Nous étions à L'Anse-à-Beaufils le soir même, après avoir contourné tout ce que la côte septentrionale de la Gaspésie peut inventer de falaises hérissées en strates plissées et tordues au-dessus de la mer, toutes falaises offertes à l'œil comme des planches de dissection des Appalaches pour nous révéler un petit peu de l'âge de la Terre.

Nous y étions à temps pour manger un bout de morue à Percé en passant et pour aller dormir en regardant les lumières briller au bout du cap d'Espoir.

Dès l'aube, les goélands piaillaient au-dessus des barques venues dans la baie pour la levée des cages à homards, et il n'en fallait pas davantage pour m'éveiller et m'attirer sur la plage, à la pêche, bien sûr, mais la pêche aux agates. Je n'en trouvai aucune, mais la poissonnerie était déjà ouverte et ce ne fut pas long avant qu'une odeur de café, de langues de morue rôties et d'œufs brouillés à la ciboulette ne parfume les trois pièces de notre charmante bicoque.

Puis ce fut au tour de Janouk d'aller arpenter la plage en me narguant d'une immense blague au départ :

— Je m'en vais réfléchir sur le sens de la vie.

Nous qui vivons coincés entre des rames de métro, des autobus et des feux rouges en souriant tout de même aux chauffeurs de taxi qui ne nous écrasent pas, savons-nous vraiment comment réagir devant la mer et les gens qui l'habitent patiemment de saison en saison, loin de nos maudites folies ?

Une heure et demie de silence devant un écran d'ordinateur à L'Anse-à-Beaufils, une heure et demie de silence ponctuée par le sourd grondement des rouleaux de la mer qui s'abattent sur la grève et par le friselis d'une soupe à la morue qui mijote. Puis Janouk revient porteuse d'un bouquet de carvi, de ciboulette, d'iris, de marguerites et de boutons-d'or qu'elle dépose sur la table en disant :

— Si j'avais une dépression à soigner, je voudrais que ce soit ici.

***

Une pluie fine mais tenace décourage toute promenade sur la mer. La brume s'appesantit sur les caps et le lointain grondement du tonnerre se mêle indistinctement au grondement de la vague qui gruge le rivage. Nous enfilons nos cirés pour aller nous passer le bout du nez au-dessus des vigneaux de la poissonnerie Lelièvre et Lemoignan, à Sainte-Thérèse de Cap-d'Espoir.

Cap-d'Espoir !

La pluie a fait sortir de l'usine les travailleurs qui doivent saler la morue, dix tonnes de morue étalée peau en l'air en attendant le soleil et le vent.

Avec un plaisir immense, nous passons une heure parmi tout cela, faisant la causette avec les Lelièvre et les Desbois dans les odeurs de morue et de mer qui nous pénètrent de bout en bout et sans jamais prévenir malgré l'avifaune qui ne cesse de crier « Ouin ! Ouin ! Ouin ! » en surfant au-dessus de nos têtes.

Puis nous rentrons en compagnie de deux homards, et Janouk, comme tous les jours, va téléphoner à son amoureux. Cela est toujours long, mais la voici qui revient écroulée en elle-même.

— Ma mère était en pique-nique au mont Orford et elle est tombée inconsciente. Rupture d'anévrisme au cerveau. Elle est aux soins intensifs du Centre hospitalier de l'université de Sherbrooke. Je veux la revoir !

Que ce soit pour guérir ou mourir, elle est au meilleur endroit du monde, mais elle ne guérira pas. Le soir tombe et la pluie aussi. Nous ne pourrons partir qu'à l'aube. Il nous faut manger, nous reposer et nous préparer pour une « trotte » de plus de mille kilomètres au bord de la mer, entre les terres, le long du fleuve, puis entre les terres encore.

— Tout un été en douze heures.

— Tiens, dépèce les homards tandis que je termine la salade.

Courageuse et vaillante, elle est assise à la table devant les homards et le bouquet d'iris, de carvi et de ciboulette, mais soudain elle s'interrompt et demande :

— Est-ce que son âme est partie ?

***

L'aube était de bonne heure et sale quand nous sommes partis, mais, à Grande-Rivière, elle s'est ressuyée un peu pour nous rappeler les travaux de grands scientifiques québécois sur la mer, la mer qui battait au bord de la route.

Un peu plus loin, à Newport, c'est la Bolduc qui nous regardait passer en turlutant ses « paparladidoudidang », et la brume s'est encore levée à L'Anse-aux-Gascons pour nous montrer les toiles de Marc-Aurèle Fortin quand il faisait la Gaspésie à bicyclette.

— Tu regarderas la couleur et la ligne des coteaux dans la vallée de la Matapédia. Ils sont également de Marc-Aurèle Fortin.

Et de retour au fleuve, si souvent caché derrière les autoroutes mais toujours omniprésent avec les perturbations atmosphériques qu'il organise et qui nous envoient des trombes d'eau sur la tête.

Toujours omniprésent avec la flore qu'il étend près de lui, épervières et renoncules en tapis, tapis de majesté pour courir au chevet de Gloria en cette majesté d'été.

Carte postale

Chère Gloria,

Nous apprenons votre idée de départ soudain et le nôtre ne peut se faire que lentement dans les méandres géographiques et météorologiques de ce pays maritime et montagneux que vous nous léguez.

Entre-temps, nous regarderons avec émotion et impatience tout ce qui nous sépare de vous, parce que notre héritage se déroule en lumière et en nuages sur ces horizons qui vous appartenaient.

Pouvez-vous nous attendre le temps d'une autre alerte météo ?

À la fête des îles

Vingt-trois septembre. C'est l'automne et les violons de Vivaldi font trembler les frondaisons rouge et or.

Le lendemain, boum ! boum ! boum ! c'est la chasse à la sauvagine sur tous les plans d'eau bordés d'un écran de joncs.

Deux jours plus tard, c'est la fête. Une fête qui débute bien modestement à l'appontement du Trou de Berthier, vers quatre heures du matin, quand la génératrice du *Lachance III* se met à ronronner. Bientôt, le moteur enchaînera. Les cinq hommes d'équipage sont debout, bien sûr, mais la plupart des passagers aussi car quelques-uns ont ronronné bien avant la génératrice.

Au jour premier de la fête, une aube fraîche, effilochée de nuages, nous accueille sur la mer où, déjà, les îles se devinent grâce aux phares qui lancent des clins d'œil à la pointe des masses sombres couchées sur l'horizon. On nous promettait qu'un nordet de trente-cinq nœuds nous remonterait dans le nez, mais il se sera attardé sur quelque île plus lointaine, car ici l'air est calme et capiteux.

Ici, c'est déjà le large. Laissant l'île Madame, l'île d'Orléans et l'île au Ruau à bâbord, le *Lachance III* s'approche de la Grosse Île et va bientôt s'engager dans le passage de la Quarantaine. À tribord défilent la Sottise, qui fut jadis la « South East », puis l'île Sainte-Marguerite ; à bâbord, au-delà du Gointon, voici l'île Patience et ensuite les falaises de l'île à Deux Têtes. Maintenant, l'aube fait place à l'aurore et, entre deux bandes de nuages, un gros soleil orange se lève au-dessus de l'île aux Grues parmi des odeurs de bacon et de café qui montent de la cuisine où s'active le chef Jean Vachon.

Au bout d'une petite heure, le bateau vient s'ancrer à la pointe ouest de l'île au Canot et François Lachance est chez lui, près de la maison ancestrale, au milieu de toutes ces îles. Aucune ne lui appartient mais il les possède toutes par la connaissance qu'il a des courants, des profondeurs, des récifs, des baies, des anses, des battures et des mouillages.

Hôte, capitaine, timonier, guide et compagnon familier, il est le prince de cet univers qui n'a pour lui aucun secret et où il s'ébat aussi familièrement que les oies, les canards, les poissons et le vent, avec un sourire en croissant de lune qui, sans jamais s'effacer, s'étire ou se creuse selon qu'il explique les choses ou qu'il s'en amuse.

Lui et son fils n'ont pas leur pareil pour appeler les canards et les oies. S'ils crient sans prévenir, les chasseurs ajustent instinctivement leur fusil et cherchent la volée qu'ils n'ont point vue venir. Et pourtant...

— Je ne suis pas un maniaque de la chasse. Je suis plutôt un maniaque des îles et de la navigation.

» J'aimerais racheter le chantier maritime, construire encore des bateaux comme je faisais avec mon père.

» J'aimerais amener plus de monde dans les îles. Ça me fait quelque chose quand j'entends dire qu'ils se jettent en bas des ponts à Montréal.

» Ici, vous trouvez pas que c'est la paix ?

***

« Bercail » est un mot qui se mettrait volontiers au pluriel si la langue française l'y autorisait car il est pluriel à plus d'un titre ici, à Montmagny même et dans cet archipel au large de la Côte-du-Sud, au large de l'île d'Orléans, au large du cap Tourmente et du cap Brûlé, au large de toutes les préoccupations politiques, sociales, personnelles et misérablement quotidiennes.

Le premier bercail est le lieu d'un soulèvement survenu à l'ère primaire, celui des Appalaches, timidement sorties de la mer sous forme de récifs, ceux du cap Brûlé, tout juste au pied des Laurentides précambriennes de Charlevoix. De récifs, elles deviennent des îles en gagnant vers le sud, et, le soulèvement prenant de l'ampleur, elles étagent lentement la Côte-du-Sud jusqu'à la frontière du Maine, où elles galopent allègrement à des altitudes qui varient entre quatre cents et mille deux cents mètres.

Autre bercail, ce lieu imprécis et mouvant où les eaux douces du continent se heurtent à celles, saumâtres, de l'océan. Elles se heurtent, se repoussent, s'attirent et finalement se marient dans un recommencement perpétuel pour créer autour des récifs une flopée d'îles alluvionnaires, sous le sourire goguenard du bonhomme qui, assis dans la Lune, orchestre le jeu incessant des marées.

Bercail immémorial de la sauvagine, oies blanches et bernaches, canards noirs, colverts, souchets, sarcelles, pluviers, bécasses et bécasseaux qui font halte ou qui s'établissent, qui pullulent sur les battures et parmi les joncs, parfois solitaires mais le plus souvent en bandes, au milieu de voisins moins recherchés et qui ont pour nom cormorans, goélands et hérons.

La Côte-du-Sud et l'archipel de l'île aux Grues sont également le bercail du pays lui-même, puisque l'ensemble fut d'abord concédé au premier gouverneur et lieutenant général de la Nouvelle-France, Charles Huault de Montmagny, en 1646, à sa demande évidemment. Pas bête, le premier gouverneur ! Il s'appropriait ainsi des terres défrichées d'avance par dame Nature, des terres d'une fertilité exemplaire, giboyeuses comme un paradis à la fois terrestre et maritime, presque aux portes de la capitale, Québec, et en plein centre de l'autoroute : le Saint-Laurent lui-même.

Bercail, enfin, de ma propre famille, qui est en grande partie la vôtre. Louis Couillard de Lespinay, petit-fils de Louis Hébert, qui fut quasiment le père de tout un peuple, y construisit un premier manoir seigneurial à Saint-Thomas, aujourd'hui Montmagny, sur le site de l'actuel Manoir des Érables, où Jean Cyr, famille et compagnie nous reçoivent si aimablement en cette fin de septembre. Et en face, dans l'archipel, la Grosse Île, où l'ancêtre irlandais Jeremiah vint s'échouer, pauvre et gueux, avant d'unir sa destinée à celle de la longue lignée française. Un peu plus à l'est, l'île aux Grues, dont Louis Couillard de Lespinay fut également le seigneur et où mes propres parents vécurent les années de leur retraite avant qu'un autre Louis Couillard n'en fasse sa retraite permanente en 1986.

***

Une fois le déjeuner avalé, deux groupes s'en vont en barque vers les rochers de l'île à la Corneille sous la gouverne de Jean-François, plus fringant mais aussi futé que son père, et en compagnie de Jessie, une belle blonde à quatre pattes qui doit rapporter les prises. Nous garderons Roxie à bord de l'autre barque, une cache flottante qui, par le ruisseau des Vaches, nous conduira au cœur de la batture de l'île aux Grues, en quête de sarcelles parmi des joncs qui nous poussent au-dessus de la tête.

Nous n'en verrons qu'une, mais les récits du Prince valent bien des coups de fusil !

La journée embellit à mesure qu'elle avance, et nous regagnons le *Lachance III* dans cette lumière d'automne légèrement tamisée par la brume et qui adoucit tout ce qu'elle effleure.

Au-dessus de nous, les oies blanches s'étirent en guirlandes, haut, très haut, comme si, avant de se poser, elles devaient d'abord se livrer à l'inspection globale de cet univers où elles feront escale pour un mois.

— Elles arrivent du Nord ! Peut-être qu'elles seront installées demain...

Un appel des chasseurs nous fait partir pour la rive gauche du Saint-Laurent. Chemin faisant, nous les cueillons à l'île de la Corneille et nous mettons le cap sur les brisants du Cap Brûlé, tout juste au bord du chenal du Nord, au pied de la barrière des Laurentides. Ces brisants, à peine visibles à marée haute, s'allongent démesurément avec le baissant. C'est un piège à bateau que n'a pas su éviter *L'Éléphant* en 1729, et nous nous retrouvons bientôt sur ces rochers avec de célèbres naufragés, les gouverneurs Rigaud de Vaudreuil, l'intendant Hocquart et Mgr Dosquet, mais en meilleure posture qu'eux, bien au sec dans nos cuissardes et munis de braves sandwichs au jambon et à la laitue.

Les canards sont plus à plaindre car il en tombera huit cet après-midi, tous des noirs, ce qui en fait douze pour la journée.

Le *Lachance III* mesure vingt-quatre mètres et demi sur cinq mètres et demi, mais les Lachance père et fils manœuvrent entre les rochers aussi aisément que s'il s'agissait d'un simple kayak. Sur un récif appelé « caye de la Prairie » parce qu'il s'y trouve effectivement un morceau de terre grand comme un mouchoir, l'ancêtre s'était construit une cache en pierres, maçonnée et en forme d'igloo, « le Château ». Durant la chasse, il pouvait y rester trois jours. Aujourd'hui, la voûte s'est effondrée tout comme ce genre de vie, mais, bien assis dans la cache, le nez et les yeux au ras de l'eau, il n'est pas interdit d'en rêver, pour autant que le vent et la pluie nous fichent la paix.

Là-haut, les oies se balancent comme des bannières au vent.

Le retour à l'ancrage de l'île au Canot ne se fait pas sans brasse-camarade car le nordet « pèse » de plus en plus. À la cuisine, Jean Vachon a préparé des îles flottantes pour souligner notre séjour dans l'archipel, et c'est la première fois, dira-t-il, qu'il les voit tanguer et rouler dans la crème anglaise ! Quant aux aiguillettes d'oie blanche, dès qu'elles cèdent sous la fourchette, on devine ce qu'elles font dans la bouche.

Cuits et recuits par le soleil et la mer, nous gagnons nos couchettes assez tôt, non sans une dernière prévenance de M. François :

— Ça va brasser un peu quand la marée sera haute, mais pas longtemps.

Juste le temps de s'éveiller et de se dire qu'il avait encore raison.

***

Si le premier jour appartenait aux chasseurs, le jour II appartiendra aux marcheurs, bien qu'il fasse vraiment un temps de canard, couvert, souvent strié d'une pluie fine, mais pas fine du tout et très mouillante en plus. Le scénario de la génératrice et du moteur est le même que la veille, et la plupart des passagers sont encore retenus à la cuisine par le bacon et les œufs que le *Lachance III* contourne déjà la pointe aux Pins de l'île aux Grues pour mettre le cap sur les lointaines battures aux Loups Marins.

Les battures aux Loups Marins, c'est le bout du monde en plein centre du monde, à mi-chemin entre nulle part et partout, entre l'île aux Oies et l'île aux Coudres, entre Petite-Rivière-Saint-François et Saint-Jean-Port-Joli, entre le ciel et la mer. Avec la brume en plus, les battures aux Loups Marins sont au beau milieu de rien. Une destination de rêve, quoi !

Le bateau jette l'ancre à bonne prudence au large et la barque de Jean-François zigzague à travers des couillons invisibles en remorquant la cache flottante qui sera amarrée parmi les rochers au bord de la grève. Les chasseurs y passeront de longues heures, avec pour récompense un maigre canard. Quant aux marcheurs, ils ont à peine mis pied sur les battures et gagné les hauteurs (!) de l'îlot à Châtigny qu'ils débusquent un « camp » d'oies sur l'autre rive. Elles sont peut-être quelques milliers à cacarder dans la vase, bien hors de portée des fusils. Et elles y resteront tout l'avant-midi, les gueuses, au lieu de s'envoler vers la cache.

L'îlot à Châtigny est célèbre pour le chapitre que lui consacre Philippe Aubert de Gaspé dans ses *Mémoires*. Les battures sont un solide banc de sable et de vase d'environ sept kilomètres à marée basse, coiffé de deux îlots filiformes et bien embroussaillés qui seuls émergent à marée haute. Ces îlots sont coupés l'un de l'autre par la marée montante et c'est ainsi qu'Aubert de Gaspé dut y passer une partie de la nuit, seul avec ses cauchemars mais en compagnie de tous les diables de l'enfer, parmi les lamentations de l'humanité souffrante et le rugissement des tigres et des lions !

L'îlot est bariolé de couleurs automnales. Le vermillon de la vigne vierge s'étend à loisir parmi les fleurs blanches ou purpurines du caquillier, parmi l'or des derniers séneçons, parmi les perles écarlates de la douce-amère et les cabochons piquants de la lampourde, tout cela sur le fond ocre et sévère d'un été fané et mouillé.

Sur l'îlot principal, qui n'a pas de nom et qui doit bien être l'île aux Loups Marins elle-même, une solide maison centenaire est cachée sous des saules du même âge tordus par de multiples bourrasques. Sur les saules, sur la maison, sur les joncs qui la bordent, la Paix tombe avec son P majuscule. En ce 29 septembre, silencieux, nous cueillons des framboises près du vieux hangar quand Sylvie dit soudain dans un souffle, du bout des lèvres :

— Ce serait une place pour faire des « bebés ».

Sans doute est-ce là ce qu'y faisaient les loups marins eux-mêmes alors qu'ils fréquentaient encore l'endroit.

Là-haut, des oies passent.

Carte postale

Mon petit Thomas !

Ce que tu as tardé à naître, cher enfant, mais te voilà enfin.

Comme le fleuve qui bat de ses marées au rythme de la Lune qui lui commande ses façons, tu attendais qu'elle soit nouvelle et elle t'a fait signe ce jour d'hui à 13 h 34.

Et c'est un lundi en plus, le jour de la semaine qui lui est consacré.

Petit enfant de la Lune, un bien grand fleuve s'ouvre devant toi.

Ta maîtresse t'y guidera.

Montréal, 5 septembre 1994

Madame Perron

Chère madame Perron[5],

Avec votre sourire qui nous attendait à la porte d'entrée, avec votre embrassade d'une chaleur égale à celle du poêle à bois, avec votre table toujours généreuse, avec votre conversation pleine de reparties pétillantes, vous nous aviez habitués à des rencontres plus réjouissantes que celle de ce matin, mais nous avons tout de même accepté votre invitation d'aujourd'hui avec un cœur qui se voudrait aussi généreux que le vôtre.

Dès notre plus tendre enfance, à vous comme à nous, on a proposé Jésus pour modèle, ce Jésus qui

5. Mme Marie-Anna Perron, héroïne de mon livre *Cap-aux-Oies*, est décédée le 13 octobre 1994, au moment de la révision finale du manuscrit du présent ouvrage. À la demande de la famille, j'ai eu l'honneur de lui rendre hommage de la façon suivante en l'église Notre-Dame-de-l'Assomption des Éboulements, dans Charlevoix, le 17 octobre suivant. Je reproduis ce texte ici pour saluer une authentique femme du fleuve.

disait : « Il n'y a que deux commandements. Tu aimeras le Seigneur ton Dieu de tout ton cœur, de toutes tes forces et de tout ton esprit, et tu aimeras ton prochain comme toi-même pour l'amour de Dieu. »

Votre amour de Dieu, c'est votre secret, mais s'il ressemble à l'amour que vous aviez pour les autres, c'est un secret que vous n'avez réussi à cacher à personne.

Vous étiez d'une générosité sans pareille, d'une générosité qui nous fait honte dans le calcul quotidien de nos actions.

Quand vous avez épousé Raymond Perron, vous l'avez épousé comme cela ne se fait plus guère et on aurait pu se perdre en longues discussions inutiles si on avait cherché à savoir qui était le chef de cette famille, tellement vous vous étiez rendus indispensables l'un à l'autre.

Et pendant toutes ces années passées auprès de lui, avec lui, les enfants ont poussé comme des fleurs dans un bon jardin et les petits-enfants n'ont fait qu'embellir le bouquet.

À notre âge et avec une partie de votre expérience, nous savons maintenant que l'histoire de ce pays a été écrite par des femmes comme vous, des femmes qui ont pris la vie à bras-le-corps et qui l'ont secouée dans tous les sens pour qu'elle donne tout ce qu'elle avait à donner.

L'histoire de ce pays a été écrite par des femmes comme vous qui ont décidé de travailler et de rire plutôt que de s'asseoir et de pleurer.

Et vous avez vu votre civilisation rurale et agricole disparaître à petites journées pour devenir une civilisation urbaine, mécanique et médiatique. Formée aux valeurs traditionnelles du passé, vous les avez toutes utilisées, mais non pour retourner dans le passé. Vous les avez utilisées pour construire le présent et préparer l'avenir.

Car vous viviez à deux bras et à deux pieds dans le présent. Avec un tel enthousiasme que votre maison devenait un centre d'attraction pour gens de toutes sortes. Sous prétexte de venir emprunter un bien ou un service, les gens venaient chez vous pour goûter à votre sens des valeurs.

On avait beau se sentir dépassé par les événements de la vie, petit à petit les choses se replaçaient d'elles-mêmes dans cette cuisine où les chaises berçantes adoucissaient les rites de passage.

Tout cela, c'est beaucoup parler pour dire si peu de choses, et vous, vous ne parliez pas tant que ça. Vous écoutiez beaucoup plus souvent et vous aviez le temps de rire. Vous riiez avec un cœur et un humour qui étaient contagieux.

Et pour le travail, personne ne se souvient que vous ayez laissé votre place à d'autres.

C'est aujourd'hui que vous laissez votre place à d'autres, et cette place est tellement grande que vous devez comprendre notre désarroi. Nous sommes auprès de vous pour quêter encore un peu de votre enthousiasme face à la vie.

Vous étiez née ici, aux Éboulements, digne fille de l'ancêtre Pierre Tremblay, qui, à partir de cette première paroisse de Charlevoix, fut le père de la moitié d'un peuple. C'est ici que Raymond Perron est venu vous chercher pour vous emmener à Cap-aux-Oies, que vous appeliez plaisamment la Floride du Québec et où, selon vos propres mots, vous avez fait votre règne. C'est ici que vous revenez après avoir fait votre large part dans la renommée de votre illustre famille, et voici que vous retournez à la terre d'où vous venez, dans ces paysages nobles, grandioses et sévères qui charment les passants mais qui seraient inhabitables sans la chaleur humaine qui veille dans les maisons.

Pour nous qui sommes ici rassemblés autour de vous, vous étiez cette veilleuse, cette lumière, ce sourire de Charlevoix qui brille au bord de la route et au fond de nos mémoires.

Soyez là encore, car nous, nous devons continuer de vivre. S'il vous plaît, madame Perron, restez avec nous, chère.

L'auteur remercie

Mme Janouk Murdock, photographe et documentaliste, qui l'a secondé dans son travail ;

M. Pierre Trudel, de Tourisme Québec, organisme qui a subventionné une partie de ses déplacements ;

le quotidien *La Presse*, qui a publié plusieurs de ces textes ;

le ciel, ses tempêtes, ses accalmies et ses embellies ;

Libre Expression, qui rame avec lui…

Table des matières

Du même auteur *(suite)*

Collectifs

Côtes du Nord, album photographique de Robert Baronet et Claude Bouchard, collection « Coins de pays », Les Publications du Québec, 2005.

Les Couronnements de Montréal, album photographique avec Pierre Phillipe Brunet, Éditions Hurtubise HMH, 2002.

Un œil de Chine sur le Québec, album photographique de Deke Erh, Old China Hand Press, Shanghai et Hong Kong, 2001.

L'île Sainte-Hélène, album photographique, Éditions Hurtubise HMH, 2001.

Les Escaliers de Montréal, album photographique de Pierre Phillipe Brunet, Éditions Hurtubise HMH, 1998 ; revu et augmenté, 2007.

Gilles Archambault, collection « Musée populaire », Éditions Ciel d'images, 1998.

« L'amour de moy », récit, dans *Le Langage de l'amour*, Musée de la civilisation, 1993.

« Le temps d'une guerre », récit, dans *Un été, un enfant*, Québec/Amérique, 1990.

« Poèmes », dans Imagine…, science-fiction, littératures de l'imaginaire, nº 21 (vol. V, nº 4), avril 1984.

Théâtre (non publié)

Les Balançoires, Théâtre de Quat'Sous, 1972.

Les Bonheurs-z-essentiels, Théâtre de l'Estoc, 1966.

Collection 10/10

François Avard
Pour de vrai

Micheline Bail
L'Esclave

Yves Beauchemin
L'Enfirouapé

Roch Carrier
La Céleste Bicyclette
Les Enfants du bonhomme dans la lune
La guerre, yes sir ! « La Trilogie de l'âge sombre », tome 1
Floralie, où es-tu ? « La Trilogie de l'âge sombre », tome 2
Il est par là, le soleil « La Trilogie de l'âge sombre », tome 3
Il n'y a pas de pays sans grand-père
Jolis deuils
Le Rocket

Marc Favreau
Faut d'la fuite dans les idées !

Antoine Filissiadis
Surtout n'y allez pas
Va au bout de tes rêves !

Gilles Gougeon
Catalina
Taxi pour la liberté

Claude-Henri Grignon
Un homme et son péché

Lucile Jérôme et Jean-Pierre Wilhelmy
Le Secret de Jeanne

Roger Lemelin
Au pied de la Pente douce
Le Crime d'Ovide Plouffe
Les Plouffe

Jean O'Neil
Le Fleuve
L'Île aux Grues
Stornoway

Francine Ouellette
Les Ailes du destin
Le Grand Blanc

Lucie Pagé
Eva
Mon Afrique

Jacques Savoie
Les Soupes célestes
Une histoire de cœur

Louise Simard
La Route de Parramatta
La Très Noble Demoiselle

Matthieu Simard
Ça sent la coupe
Échecs amoureux et autres niaiseries
Llouis qui tombe tout seul

Cet ouvrage a été composé en Dolly 9,5/12
et achevé d'imprimer en juillet 2009 sur les presses de
Imprimerie Lebonfon Inc. à Val-d'Or, Canada.